# 心魔

你有嗎？

讓我們一起克服吧！

# 目錄

## 大學畢業生

## 客源

## 克服困難

# 序言

挑戰家族一直秉承著為業界培育更多優秀人才的精神，我們一直以精英團隊，執行細節，追求卓越為我們的核心價值。

第一次認識這班年輕人是透過家族內一次的管理經驗分享會，我從他們眼神中看到了對成功的渴望和務實的學習態度，我相信這是他們成功的根本。

短暫的成功可能只需要有點運氣，但長期而可持續的成功是靠高度的自律性配合系統式的培訓。我相信每一位成績卓越的同事，都是對自己有要求的人。

在極具挑戰的年份也能做到卓越成績，我認為他們每一位都是懷著夢想，不懼怕挑戰及堅持不懈的精英們。有著這份精神，我深信每一位

在未來的日子也能發展成為出色的領袖，為業界培育出更多像你們一
樣優秀的人才。期待你們在行業繼續發光發亮。

**余達強先生 Terence Yee**
挑戰家族創辦人
香港友邦保險有限公司區域執行總監

# 序言

每個人都會有「心魔」！

由於近年的疫情，不少人在事業上或生活上都受著沉重打擊，而 19 位來自 CL ALLSTAR 區域的 MDRT 懷著滿腔熱誠，堅毅不屈的精神去克服重重難關，締造傑出的成績。

他們有著不同背景，勇闖財務策劃行業，未懼高低起跌，秉承 MDRT 全人發展的理念，在短時間內造就驕人成績。當中更有精英向發展團隊邁進，前途無可限量，印證成功並沒有特定方程式，解構出「心魔而已，沒什麼可怕」的勵志篇章，最後踏出「業界翹楚」之路。他們的經歷不論對保險業界、有意投身財務策劃行業的新力軍，或是在人生階段遇上樽頸的人，都值得大家拜讀及加以學習。

同時，團隊領袖 Billy 帶領 CL ALLSTAR 區域的卓越管理，致力培育年輕的業界人才，成就更專業、更有活力的團隊，在互相砥礪下，令一

眾精英在行業中鴻騫鳳立。我亦深信 Billy 將會繼續栽培更多出色的財務策劃顧問，成為業界的典範。

**詹振聲先生**
友邦香港及澳門 - 營業總經理

# 序言

隨著時代改變，大部分人都明白到要享受更豐盛的人生，做好保險投資理財這部分是佔一個很重要的角色，任何人的生活都離不開投資、儲蓄及保障。

香港是全球首屈一指的國際金融中心，一直以來也有不少人慕名而來加入保險理財這個行業。當中有些做得出色的，也有淡然離開的。

這本書的 19 位選擇加入這個行業的作者們當中，有剛畢業的、有轉行的，也有轉換公司團隊的。

2020 年世紀疫症爆發，絕對是全球各行各業都面對著的一個前所未有的大挑戰。我們團隊用了各種創新方式，用更有效的方法來協助客戶了解理財策劃的資訊。

每次在辦公室見到大家的時候，總是見到你們在臉上流露著開心的笑容，同事之間，相處十分融洽。跟大家開會時，每次也是有著不同創新而爆笑的意見。大家共同創造了一個開心愉快的工作環境，我為此而感到十分驕傲。

「百萬圓桌 MDRT」是全球保險行業的最高殊榮，要做得到確實不容易。這班年輕的一群，還能夠在入行第一年便完成，我認為他們都是有夢想、有目標，更是有行動力的年輕人。

我相信現在你們能做到驕人成績絕對不是輕鬆得來，當中一定包括了不少被拒絕的淚水及汗水，尤其在疫情這個最艱難的日子中，所以你們每一位都是我心目中的精英。

期待你們可以透過這本書，分享對此行業的熱情及過往的經驗給讀者，或往後想加入這個行業的每一位熱誠者，作為他們一丁點的小貼士作參考用。

**吳民雄先生 Billy Ng**
香港友邦保險有限公司 - 區域總監

家庭　　　　　　　健康

# M D

服務　　　　　　　財務

教育　　　　　事業

# R T

精神　　　　　全人

# 百萬圓桌的背景

百萬圓桌（Million Dollar Round Table, MDRT），壽險理財專業人士的最高組織（The Premier Association of Financial Professionals®），成立於 1927 年，是一個獨立的國際組織。百萬圓桌會員資格在全世界被公認為壽險與金融服務業的卓越標準。會員超過 66,000 名，遍佈世界 72 個國家 500 多家公司，均是世界一流的壽險與金融服務專業人士。百萬圓桌會員具有出色的專業知識、嚴謹的道德操守、優秀的客戶服務。因此，全球 MDRT 會員的總人數約佔全球從業員人數最頂尖的 5%，所以 MDRT 不但是對顧問而言一項殊榮，更是客戶對顧問的肯定。

# 百萬圓桌會員的標準

百萬圓桌會員分為三級（MDRT、COT 以及 TOT）並由百萬圓桌協會頒發給於一年內達到一定標準的保費、佣金或收入並且遵守嚴格道德標準的專業顧問，而每一級都有各自的標準保費、佣金或收入。

# MDRT

不同地區 / 國家對百萬圓桌會員的標準都略帶不同。在香港，MDRT 為成為百萬圓桌會員基本要求；而 COT 為超級會員，其要求是三倍的 MDRT。TOT 是百萬圓桌會員的頂尖會員，其要求是六倍 MDRT。

# 百萬圓桌的全人理念 (The Whole Person)

百萬圓桌提倡的全人理念為追求平衡而調和的全面生活，並不停地探索和開發人的潛能。全人理念主要分為七個範疇：家庭、健康、教育、事業、服務、財務及精神。

## 家庭
與配偶、小孩、父母親、姊妹、兄弟及大家庭的各個成員共度每個有意義的時光，並且努力建立分享、愛、相互尊重、與開放的關係。

## 健康
藉由學習、飲食控制、運動健身和生活嗜好，維持健全的身體和心靈，促進身心的安樂。

## 教育
探索新知以充實豐富生活，獲取新技能使得生活更有效率，並且終其一生都持續學習。

## 事業
遵循倫理，在工作主努力增進生產，盡可能地吸收所有相關知識和技能，參與且貢獻於產業組織。

## 服務
付出時間、精力、領導才能、和財務資源，自願地不求回報回饋社區、社福機構、教育機構、政府、慈善機構和其他值得驕傲的努力。

## 財務
知道如何善用收入控制支出，享受工作的成果並且樂於與他人分享，對於創造、累積和維護資產有相當的規劃，符合人生不同階段的需求。

## 精神
遵循他／她們的信仰，過著有原則的生活，致力於精神健康發展。

百萬圓桌期望會員能享受全人生活，以達致各範疇的滿足。

大學
畢業生

不是人生勝利組
# 只做人生
## 努力組

# Giselle Cheung 張凱然

- 香港理工大學會計系畢業生
- 2020 年 3 月入職
- 2020 年 4 月 超級新星獎
- 2020 年 6 月成為「超級新人王」
- 2020 年 9 月接受經濟一週訪問
- 2020 年 12 月 100+ 張單 Marathon Club 得主
- 2020 年 12 月成為全區最佳新人第一名及最多保單數目的得獎者
- 2021 年 MDRT

經濟一週訪問照　　　　　2020 年獎項照

養家的責任成為我進這個行業的主要因素。我生長於一個普通家庭，1997 年，經濟蕭條，當時，我的母親 37 歲，但她仍然選擇於高齡的時候都選擇生我，做了一名高齡產婦。自我懂事以來，我就知道我的出生可能對家人而言是個包袱，但我想擺脫這回事。當我剛畢業後，我只想找一份可以工作生活兩兼顧的工作，只是因為一個原因—我想彌補我和家人相處的時間，同時亦想給他們好的生活質素。

我是讀會計出身，大部分會計系的畢業生都是從事 audit 工作，向來都知道這份工只有上班時間並沒有下班時間，因此在找 grad job 時，我很快就打斷找 audit 行業的念頭。正當我一籌莫展的時候，剛巧遇到我現在的 leader - Jeremy 感恩遇到佢，成為了我一輩子的恩師。

我與上司 Jeremy

萬事起頭難，作為一個新人，剛畢業，沒人脈，沒經驗，沒後台。一開始會有好多隱憂，這些隱憂令我思考很長時間應否加入這個行業。最初，我同普遍 freshgrad 一樣，擔心做呢行會斷六親，討人厭。但現在回想起，就會發現一切都是自己愚昧無知的想法，而這些隱憂只是阻礙自己的絆腳石。

到入職後，遇到的困難更多，被拒絕，被放飛機，被無視。我當時開始質疑自己的能力，但感恩我遇到 Jeremy，教我情緒管理，目標主導等等，而這 9 個月來，我都是抱著以下宗旨不但走上 MDRT 之路，更有幸於九個月內成為全區最佳新人第一名及最多保單數目的得獎者：

我的宗旨主要分為 Being 及 Doing 兩部分。

## Being - 心態

剛入行的時候，我會不停抱怨自己沒人脈，出生於普通家庭的我，更別想開大單。一籃子的顧慮，令我不斷否定自己的能力。當我越覺得自己無能的時候，負面情緒就湧現。「我沒有富二代的背景，我又如何在疫情下做到 MDRT？」這種愚昧的想法，一直在我腦海中揮之不去。ALLSTAR 的 training 可以教導我 technical skills，但涉及情緒管理的問題，我又可以找誰？向來 Jeremy 都是一個幹實事的人，我怕向他分享這些情緒問題，他會覺得我很幼稚。最後，我的情緒影響我的工作狀態，我不得不向他訴説我的擔憂。他不但沒有責怪我，反而開導我，令我明白目標主導的重要性。他不但是我的領袖，更是我的同行者。最後，我憑着這個想法走了這九個月的路，由細單，慢慢揉石仔，揉了一百多張單，揉成了一個 MDRT。

哈，於是我就明白了：做法從來都不是問題，只要目標夠清晰，解決問題的方法自然會出現。

## 另一部分是 Doing — T.A.R.G.E.T

### Tolerance - 抗壓力

「唔好諗件事有幾難做，要諗自己點樣先做到。」這句話，可算是我腦海最經常出現最多的説話。各行各業都面對著大大小小的壓力，我們所面對的壓力不及別人少：情緒壓力、數字壓力、別人冷眼等等。尤其是面對疫情，經濟蕭條，身邊有不少來自其他公司的同行，開始不停放負，不停浮現一些「放棄是理所當然」、「我都無辦法，我都是被

環境所害」的念頭。但我經常提醒同事及自己，如果我們把焦點放在件事有多難做，內心就只會不停認同「這件事真的很難做」，甚至認同自己的無能。最後達成不到，內心都會覺得合理。抗壓不是要認同壓力，反而是想盡辦法對抗壓力。

## Ambition - 有志向

有想法並非等於有志向。想法大可以停留在我們的腦海，不付諸行動；但志向能有效地驅使我朝著目標付諸行為。行動是夢想的開始。當我拿起的養家的擔子，我就明白甚麼渠道，我都願意嘗試。以 cold market 為例，掃街、擺 booth、cold call、拍片，我都甘願嘗試。想起擺 booth 那段日子的時候，每次我都會限制自己 break 的時間，務求用自己最大努力去參與每場 booth，「別人跑時，我要跑；別人休息時，我更要跑」成了我的座右銘。

我的第一條片

## Responsibility - 負責任

對自己及團隊許下的承諾負責任。團隊內不同人有各樣的 duty，一旦答應要承擔起某個 duty，對自己負責的崗位就必須負責任，用 100% 可能性及努力都要將目標達成。因為我們 work as team，每個 teammate 的責任都極為重要，每個 teammate 都要達到自己目標，團隊才能達到 team target。

## Gratitude - 感恩

最初新人，會擔心自己會成為上司搵錢嘅工具，我資質不算聰穎，怕上司唔會耐心教導我，以前的我連危疾人壽醫療都不知如何分類。感恩 ALLSTAR 同 Jeremy 提供日復日嘅 training，令我由零變到可以專業地為客人提供投資保險的意見。恆常 training，聽起來好像很簡單，但我相信不是每一條 Team 都做到，每日上下午兩個 section 的 training，需要的是每一個 manager 的時間和心機。抱著感恩的心，令我每刻都不敢怠慢，怕的是辜負各位 manager 的心血。因此，當時未入職的我，每天上完 training，回到家，至少都花三至四小時重溫，目的是為了裝備更好的自己。同時，亦感恩一班支持我的客戶，感恩他們選擇我，並欣賞我的付出。

## Empathy - 同理心

處理客人的個案要具同理心。不論是 cold / warm call 客，他們都是因為信任我，才會成為我的客人，所以每次我都會將自己代入客人的處境，為客人設計理想而合適的全保理財方案。剛入職的我，都會害怕自己

的方案不夠完美。因此，每次見客人之前，我都事先咨詢三至四位資深同事的意見。這樣才能獲得客人的信心，亦令客人感受到我是真心為他們設想的，不會辜負他們對我的信任。

## Team - 團隊

團隊是出發點。戰友在這條路上不可缺少的一部分。曾接受做記者訪問時，記者問 Jeremy「Giselle 在團隊的位置是

我與客人合照

甚麼？」「她是一個 Contributor」戰友對我而言，就好似植物不可以無陽光一樣。我珍惜他們每一個，只要是我能力範圍內做到的，我都會竭盡所能幫忙，期望團隊有我的付出能走得更遠更快。

抱緊宗旨，堅守信念，努力向前，你都能憑著努力成為人生勝利組。

Giselle Cheung 張凱然

Giselle Cheung 張凱然

## 驅魔第一式

- 目標主導自己
- 行動是夢想開始
- 秉持 T.A.R.G.E.T 推動自己行動

沒有付不起的代價
只有看不見的價值

# Donald Lau 劉家裕

- 2018 香港理工大學旅遊管理學學士畢業
- 2018 超級新星獎
- 2018 ALLSTAR 超級新人王
- 2019 200% MIB 小龍會參與資格
- 2019 東周刊專屬個人專訪
- 2019 100+ 張單 Marathon Club 得主
- 2019 年度區域最高單數
- 2019 Active Club Member
- 2020 連續十日簽單紀錄
- 2018 2019 2020 MDRT Member
- 2018 2019 2020 超級巨星會 (SSC)

Freshgrad 無人脈無家底無知識，但因自身經歷
無心魔加入保險理財行業，以真誠專業推廣保險
目標明確專注勇闖前路，建立年輕有抱負團隊

## 前言：

於 2018 年香港理工大學畢業，隨即加入保險理財行業，三年間均獲得
保險業最高指標 —— MDRT 百萬圓桌會會員資格。Freshgrad 出來的我，
沒有強大的人脈網絡；屋邨出身自然亦沒有富裕的家庭背景；酒店管
理學畢業更沒有過人的金融專業知識。在進入職場前，我會形容自己
只是一個平平無奇的肥仔，而且因為在初中時患上一個突發性疾病 ——
幼年突發性關節炎，治理時間長達兩年，以致比同年的人遲起步出社
會，以正常來說機會也比較少。所以，接下來很想跟大家分享，一個
貌似輸在職場起跑線既人，是怎樣可以在金融保險業持續地做到好成
績，逐漸擴展團隊，建立屬於自己的事業呢？

# 入行原因：

## 1. 自身經歷

老實講，很多人在一開始不了解的情況下都會對保險業有些戒心，但有幸地，可能因為我過去的自身經歷中，在我加入行業之前，我內心已經很認同保險的。因為在我初中臥病在床之時，出現了一個我畢生難忘畫面，我的嫲嫲來探望我時，她突然在一個膠袋中，拿出一卷卷霉爛的紙幣，把錢強塞在我爸爸的手中，說用來給我治病，那時是我印象中第一次看到我爸爸流眼淚。嫲嫲拿出來的錢是一輩子辛苦存下的積蓄。雖然當時關節炎令我身體上十分痛，但卻比不上讓老人家為自己憂心的痛苦，這也令我產生一個：如果有保險就好的念頭。因為我經歷過沒有保險之苦，所以我自己一直都不抗拒保險，這也為我日後種下良好心態的根基。

## 2. 追回時間

不過僅僅認同保險也不一定要做保險的，當我準備進入職場時，我都有詳細考量，到底要不要加入我的大學本科行業 —— 旅遊及酒店業。我自己回想過去在酒店實習的經歷，雖然我在實習的表現評核都很不錯，但我意識到大部分工作崗位的晉升都是需要拚體力拚年資的。而我遲入社會的經歷亦會令我在晉升階梯上比同期畢業的同學落後。所以我希望找尋一份可以用努力追回時間的工作，希望用自身的努力付出，贏回從前失落的時間。同時，家人也因為我的病花費了很多錢，所以我也希望盡快可以賺到錢去支持家庭開支。即使我一開始對金融

業毫無認識，但多勞多得的行業特性，確實也十分吸引我。我當初也在想，如果這個平台真的可以讓我有機會，以努力去加快晉升速度及提升收入，我會好想把握這個機會，並用百分之二百的努力爭取，這也是我選擇加入 ALLSTAR 平台的原因。

## 起步：
### Simple Mind 相信 Leader

上面提及過我是 Freshgrad 就加入保險行業的，當時對職場上的一切都很陌生與好奇，自覺只是一個剛出來社會，無經驗無人脈，是食物鏈的底層。但很深刻記得剛剛來到 ALLSTAR，被安排上 orientation program，本來以為有很多人一起參與的，豈知在大會議室中，就只有我和 ALLSTAR 的區域總監 Billy Ng，

Direct Manager Thomas Chui

然後 Billy 就用了兩小時跟我分享行業特性，個人經歷及工作態度等等。老實説，內容細節我已經不太記得，但是令我感動的，是我感受到 Billy 珍重人才和真誠待人的態度，令我好有憧憬在這個平台上打拼。另外，就是我的引路人 Thomas Chui，Thomas 是我的直屬上司。他是一個行動力滿分，拼勁十足，且充滿熱誠的人。初出社會的我，本身就不是一個很有自信的人，所以 Thomas 都會花好多時間陪伴及教導我，重視我

的成長，認真看待我每一個問題。跟著他令我發現到自己不同的長處及可能性。他也常提醒我：無人可以話你不行，除非你自己放棄。他充滿熱情及永不放棄的領袖風範，成為了我初入職面對難題時最大的依靠和幫助。亦是因為他這份熱情和信任，令我由一開始以嘗試加入金融業的心態，漸漸轉變為要全心投入這個平台並建立屬於自己的事業，這也是我行得快的主要原因。

## 用心學習與實踐

很深刻當時前輩的講過：我們跟銷售人員最大的分別就是「專業」。所以當我立定心志要加入保險理財業時，我知道首要做的就是學習與增值。感恩加入了公司，作為市值超過一萬億的上市企業以及行業的龍頭，真的十分重視旗下同事的質素與專業。不僅有著嚴謹的入職要求，也給予同事充足的專業培訓及實踐機會。而自身區域都有每日培訓，無

Premier Academy 畢業，起初的我

論是產品培訓，工作態度及領袖訓練，應有盡有。在我入職初期，只要有時間，我每一個團隊及公司的培訓都不會錯過，並且不單單是以學習的心態，而是以每學一樣新知識就是令我能力提升，能夠提升在

這個行業成功機率的心態去學習。所以我用了很短時間就吸收到豐富的知識，亦為我開展保險事業打了一枝強心針，令我更有自信及動力去做好理財策劃的工作。當然，除了的自身的付出外，我也很感恩團隊其他同事的熱心幫助，即使不是同一個直屬團隊，遇到問題時區域中的前輩亦會傾囊相授，而且團隊中大部分同事都比較年輕，年齡及背景相近，所以遇到的問題都是大同小異，可以互相分享與交流。

## 宗教信仰　了無心魔

很多人講做不到是因為有心魔，心魔來來去去就兩種：1. 怕自己能力不足做不好。2. 不敢開口，怕被拒絕。好感恩我的宗教信仰是其中一個主要原因，讓我可以了無心魔開展工作。首先，我 12 歲就開始教會生活，長年累月與教會中弟兄姊妹間的相處，除了讓我有感恩樂觀的性格外，也使我培養到與人溝通及洞察需要的能力。同時，

教會小組

我也在教會擔任組長了十年以上的時間，當中都有很多處理人的問題及照顧他人的機會，所以我是很習慣並樂意去做對人的工作而沒有太

大的心魔影響。還有，我選擇加入前，我是有諮詢牧者意見的，在我十五十六之際，他也有鼓勵我，肯定我的能力，教我堅持以認真，幫人的心去工作就可以榮耀神。同時，我真心認為推廣保險跟傳福音很相似，我相信基督，傳福音是基督徒的責任，所以我去傳福音，人拒絕很正常，但我會繼續做。推廣保險亦一樣，因為過去經歷我相信保險，推廣保險是做理財策劃的工作，我有責任教育客人怎樣去買保險，保障他的人生，客人拒絕很正常，但我都會繼續做，因為這是我的工作。

## 得著與成長
### 快速成功

很感恩，2018 年在公司了無心魔下開展我的事業，起步確實比較順利，Freshgrad 入職 4 個月完成了行業最高指標 MDRT 百萬圓桌會會員。2018 年這個首次 MDRT 的成績，是我在四個月時間中，做了六十多張單完成，真的是一步一腳印，付上 200% 的努力，積沙成塔堅持完成的。但同時證明我一開始為了追回時間，賺取多勞多得的回報而選擇這個

起初的團隊

行業是對的，因為在這四個月中，我的收入差不多是正常 freshgrad 兩至三年的年薪，這是我入行前想都未想過的。當我做到 MDRT 後，就隨即晉升為助理分區經理，可以開始建立團隊。但對於我來說，這都是半年內發生的事，一切都來得很快，亦為後來面對的困難埋下了伏線。

MDRT Night，人生第一次著禮服

## 失去動力　遇見樽頸

第二年開展都行得挺順利，年頭有幸成交了一張成交大銀碼的單，亦有一兩個同事加入，所以自己內心都有點自滿。這樣逐漸令我失去了最初力爭上游的動力，心中沒有一個明確的目標，每天番公司扮工，業績也是停留在年初的大單，沒太大上落。同時，經驗不足令我沒有信心成為一個 Leader，很多時候都只是依賴直屬上司幫忙帶同事，跟自己同事最多也只能建立良好的朋友關係，而不能建立到穩健成熟的工作關係。

## 調整自己　作個負責任的 Leader

這個情況差不多持續了四個月，我意識到不可以再持續這種工作狀態。所以，我再次檢視自己過去一年的過程，也尋求了前輩的幫助，發現主因都是因為自己的容器不夠大，以致承托不了亦都不會主動去做，而是被安排及差派，並沒有作 Leader 的承擔。所以，當我了解到核心問題後，我立刻找尋 Leader 去重新確立目標，制定策略。再者，我也參與了不同的理財策劃課程及領袖訓練計劃，增值自己。從這些經歷中，我再次認清及及確立自己 Leader 既身份，我所有的眼光及行為都有所不同，我開始認真堅持去執行我訂立的計劃，亦對同事有了鮮明的立場。最後在第二年時，我以超過一百張單完成 MDRT 業績，而我在上年第三年，也在疫情下突破了自己前兩年的成績，成為全區域中單數第二多的同事。

## 認知的提升　感恩加入保險行業

現在我已經有自己的團隊，收入也相對穩定。但我認為加入這個行業，收入提升只是其中一個得著，而最大的得著是認知的提升，「一年保險三年人」是真的，過程真的非常豐富。當初剛剛進入社會，涉世未深除了令自己不夠信心，思維上亦有很多自我設限。但在工作中接觸到

能夠各式各樣的人，接收到很多從來未涉獵的範疇和資訊，擴闊了我的視野和胸襟。在我年輕的時間，已經見識過不同層次的人及事，令我感到我生命能有更多不同的可能性。除此以外，能夠與一個年輕，開心，共同努力的團隊工作亦是我在這行業成功的主因。所以，我真的很感恩 Freshgrad 畢業就來到這個行業，未來也必定會全力以赴發展這份事業，期待創造更多不同的可能性。

恆常團隊活動

總結一下，過去的成長經歷令我有動力及了無心魔拓展我保險的事業，很感恩加入了合適的公司和團隊，認識了幫助自己成長成熟的貴人，亦從三年跌跌碰碰的過程中提升，以致慢慢培養及訓練出作領袖的能力。我的未來，期待有你的參與。

「AIA」或「公司」是指友邦保險（國際）有限公司（於百慕達註冊成立之有限公司）。

Donald Lau 劉家裕

## 驅魔第二式

- 不要埋怨生命中每一個經歷，因為它們都是成長的養分
- 重點不是 Doing，而是 Being，understand who you are.
- 專注目標，堅持努力向前
- 不斷擴闊自己 迎接更豐盛的人生

客源

# 自律即自由

比你更優秀的人都在努力，
你憑什麼懶惰？

# Pamela Chau 周穎鈃

- 2021 年晉升為助理分區經理
- 2019 年香港樹仁大學工商管理學榮譽學士畢業
- 曾到近 30 個國家旅遊
- 23 歲加入保險業
- 保協 2020「傑出新星獎」銀獎
- 24 歲 2020 年達到 MDRT

## 不甘於安逸的溫室小花

公屋出身，地區中學，本地大學。從小都是一個平凡又普通的人，沒有很努力，也沒有很懶惰。小時候的生活，我會形容是父母為我建造的溫室。可能是感覺自我見識貧乏，所以一直渴望衝出這個溫室，衝出這個城市。別自命不凡，卻甘於平庸。於是，一個人跑到歐洲生活，跑到挪威行山，跑到北韓體驗。一個人的旅程，少不了在街上撞板痛哭的時間。只是回來後，我不再是一朵甘於安逸的溫室小花。

獨遊挪威三大奇石，奇蹟之石

金融學系畢業，尋找人生第一份工作，像極了一本書，「誰的青春不迷惘」。在銀行與保險公司之間選擇，當時手上有3個工作機會，理財顧問、銀行分行前線及銀行後勤。當時在穩定與拼搏之間，猶豫了很久很久。我記得，選擇一個人行挪威三大奇石時，是因為我深深明白，年輕時不做，難道要到老骨頭時做不到，再騙自己遺憾就是美嗎？在我猶豫的時候，同事輕描淡寫的一句「後生個時唔搏，唔通老左個時怨啊？」。一語驚醒夢中人，如果我加入了銀行，便是穩穩地地的營役，失去了接下來的挑戰。

不知當初的少年，是如何想像今天的我

## 全港九新界一日遊，是在旅行嗎？

全港九新界一日遊，是在旅行嗎？不，是在見街客。不敢說去了全港麥當勞，但以地區計，大半總是有的。我住東九龍，最辛苦的一天，

是早上 10 點的上水客人，12 點的粉嶺朋友，3 點的荃灣街站，6 點的筲箕灣客人。類似的全港九新界一日遊上演了無數次，一日的巴士車費試過破百。然而，不一定有回報。我很喜歡一句說話，努力未必有回報，但不努力一定沒有。

為什麼這麼辛苦？大概是心底最深處的恐懼。「做保險斷六親」，是入行前後與最初期聽到最多的負能量。我不是不信保險，我曾是保險的受益人，而是面對朋友的目光，我遺憾地選擇了逃避。當時我給了自己很多借口，包括身邊的人剛畢業，很年輕，沒有錢，未準備好，等等。既然入了這行，不能向身邊的人發出邀請，便只能努力地做街客。

感激公司對我的鼓勵

可是，人生就是如此地有趣，第一張單，是一個同齡的女孩。在我以為年輕人未接受保險的時候，她的出現，顛覆了我的想法。「為人友善爽朗健談」，是我當時寫下對她的印象。23 歲，每個月 3,000，為自己現在買保障，未來買舒適。她坦率面對保險，令我自愧不如。一年保險三年人，不論見街客，還是朋友，都會遇到很多的困難。我們常常

都説跳出舒適圈，做保險真的會跳出了很遠，認識到很多社交圈子外的人。出身公屋，遇上了一個私人銀行的客戶，不知怎樣面對，請了有經驗的同事幫忙，跟進了幾個月，接觸了不同銀行的借貸要求和利率。最後因為銀行辦不了客人心目中的金額，沒有流動性，便不了了之。雖然結果是不好的，但過程令我獲益良多。

由陌生人變成朋友的第一個客人

## 拍攝分享擴闊了人際網絡

在做街客的時候，我始終擁有為親朋戚友配置必要保障的想法。在 ALLSTAR 的環境中，每個人都有自己的做法，新人可以在這個強大的環境支持下，找到適合自己的方法。上年年初，Billy Ng 強力推薦我們拍攝影片，做網上推廣，而這正合我意。我是一個 Instagram 迷，熱

感激 ALLSTAR 這個大家庭

愛分享自己的生活及拍攝照片,因此我會把與客人的點點滴滴放上我的 IG,卻意外吸引到朋友的主動詢問。以至於後來,我由只做街客,到朋友主動詢問,感覺沒有「斷六親」,更認識了很多新朋友,見了很多老朋友,給了我一個機會聚舊。

同時,當大家都在拍攝千篇一律的產品介紹影片,我希望寓工作於娛樂。年輕的團隊,一拍即合,創立「放飯 ForFun」,與《新假期》合作,投稿寫專欄。我們以輕鬆的手法,來拍攝保險的話題,例如經典電影二次創作。我很喜歡一班人為同一件事努力的感覺,經理像朋友,同事像戰友,我們整體更像家人。我們經常自願留在公司,有時是一起加班,有時是一起玩狼人殺。「公司愛我,我愛公司」。工作佔了人生的三分一,如果與同事相處不愉快,工作環境不好,那麼人生得多壓抑!這裏,有戰友一齊努力,建立一個有趣的保險平台,吸引了朋友及街客的目光。

「放飯 ForFun」做人最緊要搞笑得嚟又有品味

回顧畢業以來,短短的一年,在社會大學中,成長了很多。由一個什麼都不懂的新人,到公司同事主動請教我如何做街客。由只做街客的人,到市場推廣做得好,變成朋友主動詢問,到負責公司團體的市場推廣。一年後,我 MDRT 了,也升職了。難嗎?不難。易嗎?也不易。最初,

有很多很多難聽的説話，宰相肚裏能撐船，一笑置之。保險兩個字，其實好重，太多人做壞了。因為屋企曾經取得過一筆保險金生活，我才深信這個令我最後免於一死的工具。選擇從事銀行或保險的時候，是 ALLSTAR 的氣氛給了我很大的勇氣。身邊支持我的人，寥寥可數。父母最想我做公務員，「穩定」二字，就變成我日後人生的大部分。然而，認識我的老朋友，都知道我怎可能安安靜靜。

最開心莫過於，
父母由反對，變成支持。

別自命不凡，卻甘於平庸。人生其實是一場，自己知道未來怎樣，就做吧，因為總有人不滿意，但總有人無條件支持。相信黑暗過後，總會有晨曦。

2017 年的時候，走過了萬里長城，當時有感而發，小女子才疏學淺，寫了一首七言詩，不押韻，只想把感受寫出。

**《登烽》**
**拔地依山朝天建**
**舉頭炎日揮雨汗**
**通天石級萬里長**
**已登烽臺成好漢**

四年後再看，嗯，很符合今天的我。

## 驅魔第三式

- 方法總比困難多。如果不願意用 A 方法,就用 B 方法,加倍努力,結果都是一樣的。

- 付出不一定有回報,更不會馬上有回報,你又不是鐘點工!

- 以誠待人,少點套路,多點真誠。

- 年輕時自律,還可以得到迎難以上的快感;年邁時醒覺,只留下「想當初」的遺憾。

Pamela Chau 周穎銒

# 機會 總比困難多

## 持續做一件事讓這件事成為自己的專業

# Queenie Wong 黃欣蓓

Facebook : Yanyee Wong Queenie • 黃欣蓓
小紅書：欣怡在香港保險资讯

- 2016 香港中文大學企業傳播碩士
- 2015 英國 Lancaster University，美國 Purdue University
  商學院榮耀學位
- 半年時間達到 MDRT 百萬圓桌會員
- 2021 MDRT 百萬圓桌推廣大使
- 2020 經濟一周個人專訪
- 2020 全年度最多保單數量第三名
- 透過網上影片半年時間客戶主動聯絡人數接近 300 人
  （包括香港及內地客戶）
- Active Club Memeber

## 保險的意義

我的團隊

作為一個在新時代中勇往直前、乘風破浪的奮鬥者，我想，這些年來
學到最寶貴的經驗就是：將心比心，用心對待客戶。這個覺悟引導我
在工作中始終如一，做到換位思考，並待客戶如己，提出最適合的建
議及解決方案。或許旁人認為客戶經理作為服務者，我們只要服務好
客戶、把客戶當做「話事者」，就能圓滿完成本職工作。但我認為事業
的最高境界是把每個客戶都當成自己的朋友，用真誠打開對方的心房。

回首過往工作經驗，想要成功地擴展客戶資源，歸根究底要做到兩步
驟：一是擴展，二是鞏固。除了要做好服務、鞏固現有的客戶群外，
如何拉新、向外拓展客戶群其實是一大難題。如果單靠自己身邊固有
的人脈終究是有限的，因此我產生了借助網上平台宣導保險理念及知
識的想法。

## 對網上平台的認知

香港中文大學
碩士畢業禮

我曾在英國和美國商學院留學，其後回流香港，並取得香港中文大學碩士資歷。碩士畢業後，我與一次投身保險業的機會擦身而過，但當時因自身疑惑讓我遲遲不願意投身這個行業。那時的我曾認為，加入保險行業，主要的客戶來源均是自己的家人和朋友，但每個人的家人和朋友都是有限的，一旦人脈資源耗盡就沒有持續性了。因此如果不能持續發展業務和拓展客戶來源，那麼將面臨的就必定是瓶頸和壓力。

英國大學畢業禮與父母的合照

我的區域總監 Billy

但在認識了區域總監 Billy 後，我徹底改變了自己的看法。Billy 從事保險行業多年，擁有極豐富的金融工作經驗。他與我分析：隨著科技發達以及保險行業的蓬勃發展，可以趁機會充分利用互聯網的優勢，通過網上平臺把業務相關的專業知識分享給更多人，讓大家從中收穫各種知識、進一步提升公眾對保險業的認知，這種新穎的方法，就可擴展自己的客戶群。

通過與 Billy 的學習、交流，我理解到網上平臺拓展的優點及可行性。因為網絡的方便快捷性、一定的身份隱藏性（令客戶有安全感）、以及大眾客戶對保險認識的自主性日益增強。另外，保險網絡營銷的市場環境漸趨成熟，也可以預視網絡營銷方式將會主導將來的保險營銷方式。

## 家人是我入行的契機，讓我意識到定期審視保障的重要性

家中長輩一直也有配置各類保障，可惜卻欠缺管理。一次機緣巧合，我協助家人審視十多年前的保障及財務策劃，發覺當中已經不合時宜，保障範圍或有重複、甚至過時。由於以往的人壽及醫療保障並不能保障到終身，如果不定期管理升級的話，往往到理賠的時候才發現沒有適切保障。此次經驗，令我了解到財務策劃這份工作的發展潛力非常大，充滿了機遇；從而萌生了借助網上平台向大眾進行宣導的想法。我希望可以通過自己的努力，協助更多家庭了解到現時的保障資訊，讓更多人可以盡早配置到最適合目前生活狀態的保障。

## 事業的持續性

自我加入保險行業就拿了不少獎。入職三個月就已經獲得當月最多保單數量 Top cases 獎項，半年就已經擁有「百萬圓桌會員」的榮譽認證。隨後，因個人業績突出，更榮幸受邀經濟一週雜誌的訪問。

最後僅用了半年時間拿到 2020 年度的最多保單數量 Top case 第三名。得到這些肯定，我是十分感恩的，但是榮譽背後我更深知網上平台的重要性。因為是網上平台讓我接觸到更多潛在的客戶。

2021 年百萬圓桌推廣大使委任典禮

我也很開心獲得公司委任成為 2021 年 MDRT 推廣大使，希望可以推動更多同事成為百萬圓桌一員。

## 網上平台的優勢

目前接觸過不少客戶，對保險業及自己的健康保障知識，都不是十分了解。想約財務策劃師出來面談，又怕面臨被推銷、被迫簽單的購買壓力。這時，就更能體現網上平臺這個媒介的優勢了。

作為團隊中首批利用網上平臺去分享保障知識的同事，我在各種

在網上平台拍攝各類的保險知識短片
Facebook 專頁：
Yanyee Wong Queenie • 黃欣蓓

短視頻中講解保險專業內容，對潛在客戶和公眾教育、宣導正確保障知識，因此認識了些陌生客戶，與他們建立聯繫，並逐漸有成果。我們團隊也設立了不同的部門，對新媒體這個範疇進行有效率的營運，當中包括 Marketing Department 。我有幸成為了 Marketing 的負責代表，專責推廣網上平臺，每週設立一天作為我們的拍攝日。隨後越來越多同事也跟隨我的節奏，開始線上分享影片之路。在這裏，再次感謝 Billy 和我的上司 Thomas 對我工作的支持與幫助，也感激同事們的理解和信任！

上司 Thomas 一直在各個階段給我鼓勵。會給予我們定立每一個季度目標，讓我們朝着目標進發。

其一，網上平臺的優勢方便客戶對妳有充分了解，直至信任妳；其二，在任何網絡營銷中，不管結果如何，都可以推廣分享自己的平臺專屬網址，壯大自己在網絡中的影響範圍；其三，將自己的網上平臺專屬網址

靈活運用於傳統營銷方式中，如：結合電話、名片、計劃書、傳真、郵件等方式，為客戶面談做鋪墊，也可以成為保險主題的切入點，在要求轉介時更事半功倍。

互聯網不僅僅只是簡單的找客戶，更重要的是累積自己的價值，在網絡中挖掘並追求核心價值。這種價值就是客戶對妳信任的資本。這就需要由我們建立起新媒體「根據地」，並且去發展和壯大，沉澱更多經驗和專業內容，而不只是「走過了一村又一寨」。

為此，我在香港和內地的各個網上平臺上分別註冊了自己的賬號，擁有了專屬的個人網址，通過營運，拍攝影片及撰寫筆記。我不但開發了一

由拍片、剪片到市場推廣也是我自己一力承擔。

些陌生的客戶，而且也讓身邊的朋友看到我的影片及分享，從而對保險業和各種保障知識有更深的了解。

## 因 30 年前的保單而結緣的一家三口

我曾經有一個客戶 21 歲時買了保險，隨後的 30 年都沒有更新過，但是因為看了我網上的影片，瞭解到現在的保障和以前的很不同，但是因為 30 年前的營業員離職後，就一直沒有人協助他處理，於是便主動聯繫了我。這令我發現到其實有很多人配置了保險但卻沒有定期更新，因為以往的保障沒有現在的全面，以往的保障很多並不能保障到終身，但是客戶因沒有定期檢視而渾然不知保障內容，導致需要用時才發現不能理賠。

這好比說 30 年前也沒有 iPhone，現在 iPhone 已經出到 12 了。我協助他做了保單升級。後期，我和他成為了朋友，他們一家人更成為了我的客戶。

透過我拍攝的網上平台影片認識的一家三口，也成為了我的客戶及朋友

這件事讓我意識到，其實有很多較年長的客戶的保單也是沒有定期更新，保障會不合時宜。透過網上平臺慢慢地讓我接觸更多孤兒單的客戶，協助他們更新最適合的保障。

## 保持信任，真心待人，以真心換真心

曾經有一個客戶看完我網上的影片，在線上向我查詢了許多關於她女兒的保險，從她的話語中我感覺到她擔憂的是保險最後是否能賠償的問題，於是我立刻解答各種關於保險的問題，詳細解釋所有條款。

後來我們見了面，她告訴我她想買保險的主因是親人意外離世，什麼保險都沒有，特別害怕自己有什麼事離開了，她家人不知道怎麼辦。所以才想幫她和家人配置保險，保障自己及家人。

這只是我們的第一次見面，但這個顧客卻願意把所有的心事向我傾訴。從那時候我就下定決心，一定要幫她規劃好這份保險，這不僅是一份保險單，更是一份信任，是她對我這個素未謀面的人給予的善意。

## 從網上平台引伸回身邊的朋友

原本我將工作和生活分得很遠，我比較少告訴周圍的朋友工作上的事宜，那時的我是孤軍奮戰。本來拍保障知識的影片是為了拓展陌生客戶做網上市場的，我將影片放在了 facebook，慢慢開始也有朋友主動聯繫我。

協助最好朋友的父母配置全面的保障

最深刻的一個朋友就是和她認識了 15 年，可是我在她面前完全沒有説過保險，不過因為她看完我拍的影片後，有一次吃飯的時候就叫我幫她做一個全面的保障，然後過了一個月後她還介紹了她的爸爸媽媽和妹妹給我。

這讓我感受到人與人之間感情的微妙，多年未見的朋友願意無條件相信我、支持我，讓我知道現在的我身後有著一群的人在支持著我。

每一個人的人生會遇見無數人，交過無數朋友，每一個朋友其實就是一份善緣。

我的第一位配置全面保障的客人

# 結語：
## 人生的那些意料之外「轉捩點」

2019 年新冠肺炎席捲全球，航空公司、食肆、酒店結業令到很多朋友也因此丟失了工作。香港失業率創新高達 7.2%，面對疫情導致的各行業發展停滯的狀態，當時的我也曾陷入事業的迷茫和焦慮，擔心因經濟低落而客源減少，但我始終是一個積極樂觀、樂

於破局、擁抱變化的人，在這個時候不應該抱怨而是應該尋求解決辦法。我也是在那個時候開始網上營銷，尋求多方面的事業發展性。

在此我建議大家可以多嘗試，如果你不嘗試踏出這一步，你將永遠不知道自己有多大潛能。如果一開始就急於下定論，給予自己「我不會」或「不可能」的心理暗示，那麼我們多半會錯失良機。希望大家都可以在不同的跑道上找到屬於自己的路，跑出多彩人生！

Queenie Wong 黃欣栢

## 驅魔第四式

- 只要你足夠好，你想要的都會來找你。

- 凡事不要説「我不會」或「不可能」，因為你根本還沒有去做！

- 只要無懼於嘗試，沒有人會徹底失敗。

- 要成功必須要堅持。

- 用心待人，給予最好的服務，自然就不會怕沒有客源。

- 要成為一個自己都會找自己買保險的理財顧問。

# 克服困難

要怕別人嫌你不夠專業

# 投入心機

隨著時間，專業是遲早的事情

# Kiwi Ching 程美段

- 模特兒 / KOL 轉行保險業，加入公司。
- MDRT 百萬圓桌會員（入行 4 個月達到）
- 註冊理財規劃師
- UWS MBA 工商管理碩士（2021 修畢）

## MDRT 0-1

與其專業地當花瓶,不如花瓶地專業

## 性格 + 背景

轉行以前,從來沒想過會做金融相關的行業,對保險也是毫無概念,徹底的白紙。

單親家庭,屋邨下長大,父母沒有給予理財教育,不懂規劃,目光短淺。

天生硬骨頭,好勝要面子,甚麼都想靠自己,心底裡沒安全感也覺得沒人能依靠。不介意辛苦賺錢卻不會投資理財,也沒想過為自己將來退休作打算。

## 轉捩點

直到遇上現時的老闆 Billy,初時抱住一試的心態加入保險,又怕自己白紙一張會不會不合適,會「風馬牛不相及」?

先不說 MDRT 怎麼厲害,保險業吸金力高還是付出與收入成正比那些,讓我更滿足的是從事保險後看到自己各種成長和發展的可能性。

## 以往工作 + 感受

演藝工作,好玩。那些
所謂一時的人氣 / 知名
度,我一直覺得是一種
很虛的東西。不實在不
踏實沒底氣,沒維持曝
光率你就完蛋了,社會
上的工作經驗?學問知
識?專業技能呢?

也許現世代的小朋友從小的志願就是當網紅,我不反對,畢竟將來的確
很可能是網紅當道的世代,有影響力。但不甘心,純粹地當一個網紅難
以得到認同,最起碼要有自我認同,不原地踏步,充實地追求卓越。

就算有賺錢能力,不會理財也只會賺多花
多。連紫微風水師傅都説我自身對錢不夠
貪,沒金錢觀念,沒想過財富的攻與守,
一副無所謂的態度。

記得一次有位男友人在我面前裝作網紅推
銷的樣子,開玩笑地拿著產品説:「啊~
今天的化妝品好棒喔~」從他扮演的行為

中，我感受到的是，這種工作在他眼中不被認同……

「賣面膜的利潤能有多少？賣幾片才能賺多少？」説帶貨，不少人提到大陸男網紅賣口紅的成功例子，事實上香港能看到多少個李佳琦呢？網紅，幸運的話事業能達到高峰，能維持多久？能作一份終生事業嗎？除非「高峰」賺的錢夠我退休以後不用幹活吧。

## 轉行後的改變

**時間值**：時間 = 金錢。女人青春有限，把時間投資在有價值的事情上，善用時間，安排工作，提升生產力/效率。時間價值 e.g 理想月入 10 萬，10 萬 / 30 天 / 16 小時（-8 小時睡眠）= $208 / 小時。換言之，1 星期工作 7 天，每天 16 小時無休，每小時也要賺 $208 才能達標。

**安排日程**：改善拖延，避免虛度日子，而不知做過了甚麼。

**投資理財**：由單一幾乎 0 息的銀行活期戶口，0 保險配置，財富貶值。—> 現在：（保守）穩賺不虧，分紅儲蓄。（進取）錢生錢，股票基金，分散投資。（避險）醫療、意外、人壽、危疾。

**增值自己**：保險牌、MPF 牌、投資牌、地產牌、碩士課程。關注時事、科技、國際、政策。

**目標遠景**：提升生活品質，敢想以往不敢想的，累積經驗及小成功。

# 如何 4 個月 MDRT ?

**性格**：愛玩，交朋結友，真誠待人，建立人品信譽，累積人脈。不喜歡哄哄騙騙，相信新世代的保險只會愈來愈透明化。切實地從客人需要出發，客人亦會感受到。（不是只為佣金）「真心喜歡和欣賞你的人，會希望看到你的成功。」

**別人對你的信心**：消費者（拒絕原因）—> 不夠專業？不認真不靠譜？變孤兒單？經紀責任感？對保險的傳統觀念 / 理解？不了解而無從下手？ 解決問題：勤常分享工作日常、資訊。建立形象 —> 感受到投入、認真、專業態度、長遠。 提供資訊性內容，有助大眾對保險的了解。「誤解來自不了解」同事 Melissa 常說。 客觀給意見，讓數據說話更有說服力。

**售前 / 售後服務：**秒回的重要性 —> 令客人感受到被重視，覺得你有交代、有跟進、負責、可靠，自然有需要時會再找你幫忙開單，亦能放心將你轉介給身邊朋友。要是對你沒信心，只靠關係的話，誰會放心把你介紹，不怕背黑鍋嗎？

**公司 / 團隊 / 資源：**大公司，信心保證。強大團隊支援，教學資源。愉悅自在的工作環境，一班求進步又充滿正能量的同事。擁有支持你的團隊的無私分享及互助、關注你的上線，集合專業及經驗為客人爭取，才能留住客人的心。

**精準的客戶分析**：找出客戶真實需要（想認識你？閑聊？認真諮詢？）才能高效。 把時間留給真心有需要的客人身上。

**做人態度**：努力耕耘，埋下種子。成功非僥倖。努力建立自己的價值，不依附在別人的價值半徑上。願意走捷徑的人，也許生活容易，但把捷徑走慣了，還能看到自己的價值嗎？待人處事是一門很深的學問，做好自己，心安理得不欠人。

## 保險理財行業的好處

· **學以致用，幫助別人**
· **一門專業，長遠發展**
· **不限於年資而晉升加薪**
· **無本生利**
· **不單時間換金錢**
· **彈性工時，平衡工作、家庭、生活**
· **個人成長，自我增值**

## 驅魔第五式

- 敢想、投入、付出、堅持
- 面對弱點,克服
- 不將就小成功,Stay Hungry
- 善用槓桿,最大化(人脈、時間、資源)

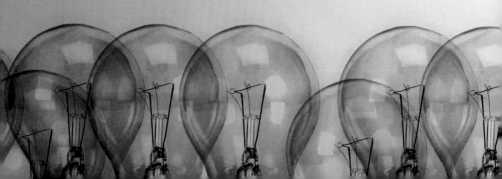

Kiwi Ching 程美段

只要相信，便能 **看見**

# Karen Ko 高麗雅

- 英國蘇塞克斯大學畢業
- 會計及金融學士學位
- 三年國泰空姐工作
- 第 24 屆小龍會
- 國際清酒唎酒師
- 入行半年成為 MDRT 2021

我很喜歡笛卡爾的一句說話,「我思故我在」。

因為相信能夠做到,所以才能做到。如果連想都不去想,那麼永遠都做不到。

剛剛入行的時候,總是覺得要成為 MDRT 很遙遠,要做到百萬年薪好像是遙不可及的。

我當初入行的原因是想學習更多保險投資理財的知識,賺錢是其次,只想增廣見聞,做到問心無愧。但是慢慢地發現,既然要做,就要全心全意地做到最好。經理們的分享令我明白到其實只要跟着前人的步伐,其實我也有能力可以做得到 MDRT 的。就這樣,去年就定下了這個目標。

## 勇於挑戰自己

身邊的朋友都知道我很喜歡爬山，可以健康身體之餘，其實最大的樂趣是登上山頂的那份成功感。站在最高的地方，俯視山下的風景，密集的高樓大廈變得非常渺小，感覺大地在我腳下，那種成功感是無可取代的。

在香港的眾多山丘之中，我最喜歡爬獅子山。獅子山在香港的正中央，交通方便，難度適中，適合各類朋友一起行。雖然開頭一直都是上山的路，沿途要捱過長長的樓梯，爬過崎嶇的石級，也需要一定的體力和耐力，但是放棄這個字從來沒有在我腦海出現過，因為我的想法很簡單，就是要登上山頂。朋友問我，經常行山不累嗎？對我而言，這更多的是一種享受。每次登上山頂後，飽覽著整個香港的風景，天氣好的時候，曬曬太陽，吹着陣陣的涼風，遠離繁囂，彷彿帶走了所有的煩惱。

爬山令我明白到要成功到達頂峰前，要先堅持不懈地克服重重困難，成功過後，「辛苦」的感覺便會變得微不足道；也唯有體驗過的人，才真正明白堅持的可貴和價值。做保險這一行也是和爬山一樣，起初是一步步艱辛地四處建立人脈與顧客數量，應用保險知識替客人理財，但每次完成一張單後都會有很大的成功感。

大學的時候朋友邀請我一起參加馬拉松比賽，對從來沒有參加跑步比賽的我來說是新嘗試，要完成 42.2 公里也是極大的挑戰。但是我就是想向難度挑戰，也想趁着年輕多嘗試點新事物，就報名參加了。當時沒有想太多，就只求完成整個比賽。

印象最深刻的是：當我跑得很累，在慢慢步行休息的時候，有幾位身形比較肥胖的跑手在我身邊努力地跑著，快要超越我了。我的好勝心告訴我不能再休息，要加快速度，不可以輸給別人，最後以五個多小時完成整個馬拉松比賽。我領悟到的人生道理是：其實只要肯腳踏實地邁向目標，定能到達終點，所以我相信「我思故我在」。

## 做好本份

職業無分貴賤，其實做保險也是一種職業，就像之前做空姐一樣，只要做好自己的本份，便問心無愧。

之前做空姐的時候，我有很多朋友問我為什麼讀了這麼多書去做空姐，因為做空姐不需要任何學歷。但我認為讀書是增進自己的內涵和修養，做什麼職業是沒有關係的。而我很喜歡去旅行，所以就選擇了空姐這個職業了。

現在我做保險的本份，就是為客人做好財務策劃，傳遞保險的知識。

一件事讓我感受很深刻的，就是當好朋友的家裏發生了事，朋友要承擔整個家庭的責任。我們不能避免事情發生，但可以做好保障，減少事情發生後帶來的災難和衝擊。

我有一位好朋友的爸爸在他讀大學的時候突然離世。本來是小康之家，變成要寄人籬下。當初他們的想法是，生活得很好，亦沒有需要去購買多餘的保障。但悲劇就是這樣發生。身體健康的時候都沒感覺，但是真的發生意外，就會清楚瞭解到保險的價值。他總是説，生老病死在所難免，但如果能夠時光倒流，一定會珍惜和家人相處的時間。更重要是做好保障，那怕發生任何事情，家人也可以過一個好的生活。

## 找到價值才能走得長久

我認為賺錢雖很重要，但是瞭解這份工作的價值更重要。要以自己的工作為傲，才能堅持走下去。所以我的目標是讓顧客能真正了解保險的功能與理賠細節，才能讓保險產品在意外發生時帶來幫助。

Karen Ko 高麗雅

# 驅魔第六式

- 努力與堅持，就是成功的秘方
- 不論碰到什麼挫折都不認輸，照自己的步調繼續拚下去就對了

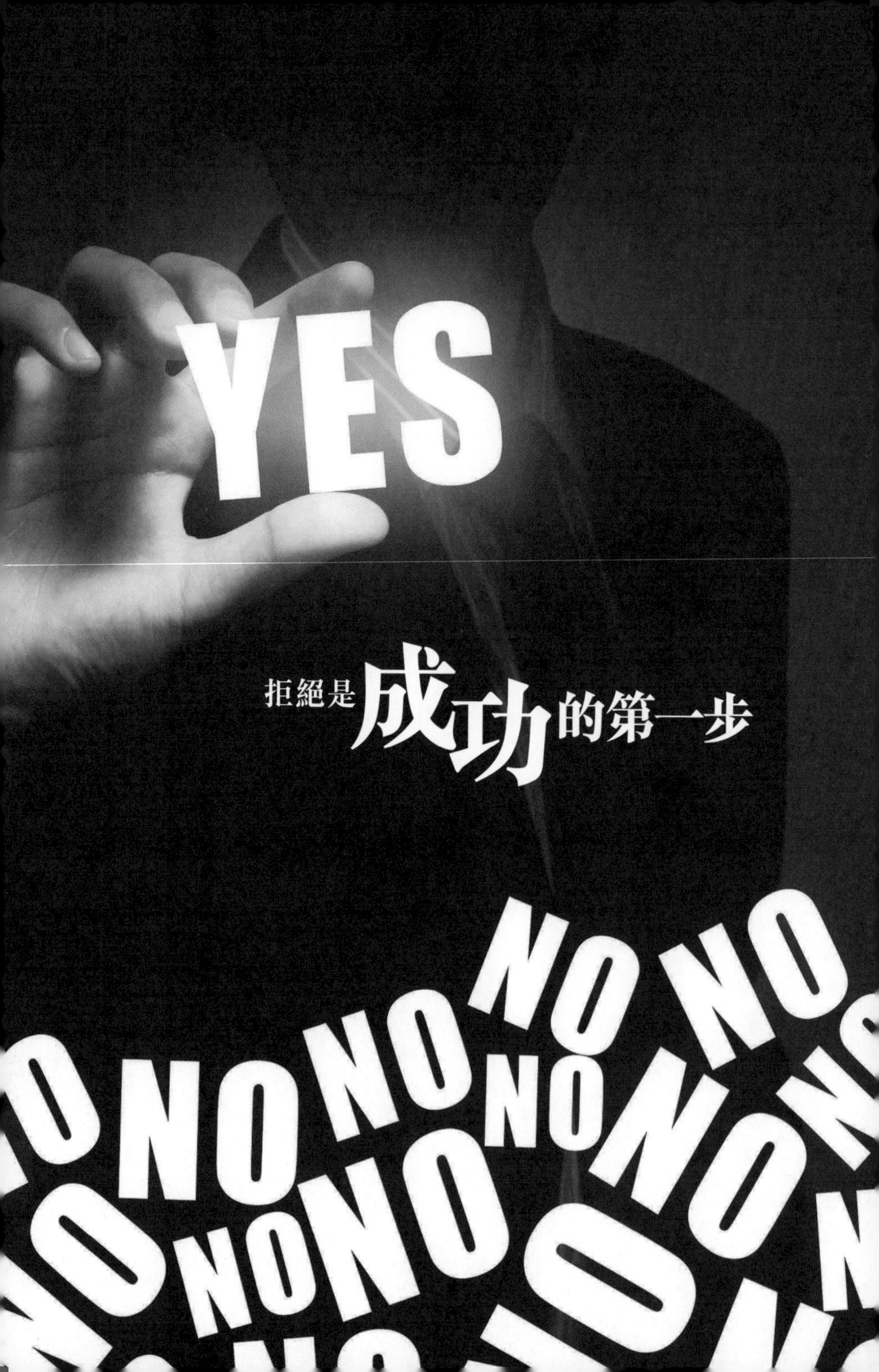

# YES

拒絕是**成功**的第一步

NO NO
NO NO NO NO
NO NO

# Eric Liu 廖鎮謙

- OXFORD BROOKES UNIVERSITY
- Bachelor of Arts in International Business Management
- Million Dollar Round Table 2018
- International Dragon Award 2018
- GAMA International Awards 2020
- Frontline Leader Award Silver
- GAMAHK Awards 2020
- Rookie Manager Award

## 人物性格

從小我就是活潑好動，屬於健談
的一群。總是貪玩跌跌撞撞，易
容易跌倒受傷，導致家人十分擔
心我，亦開始對我嚴加教導。不
過我這個屁孩卻是這樣的，越對
我嚴苛，我就會越不聽話。但若
我喜歡做一樣事情的時候，我便
全心全意投入，務求做到最好。
我每星期也會堅持做運動，游泳，
打羽毛球，足球始終，堅持遲動

身體好。但最喜歡的休閒活動是行山，因為行山到達終點時，可以觀
看到最美麗的風景，過程怎麼是辛苦也是值得的。

## 投身社會

畢業後第一份工作從事珠寶銷售，亦沒有任何銷售經驗。但卻抱住一
顆熱誠的心去學習，很感恩遇到一些無私奉獻的同事，令我很快能融
入。工作過程當中很開心能遇到林林總總的顧客，有些甚至主動分享
他的生活點滴。我亦發現了一件很有趣的事，這三年來我遇過四位從
事保險業的客人。他們都穿着筆挺的西裝，打著整潔的領呔，面帶笑
容，分享著他們對保險的熱誠及憧憬。他們均不約而同地鼓勵我嘗試
了解保險業，後來透過網上搜查而獲得更多保險業的資訊，亦讓我漸
漸萌生了加入保險業的念頭。

## 加入保險業

透過從事保險業的朋友面談和職
前講，我便了解到這個行業有很
多精彩吸引的地方，而最打動到
我的是這四個字「多勞多得」。
我相信，只要我付出足夠努力和
決心，所付出的一定努力不會白
費。後來我便報名參加了不同考
試，很快便獲得了牌照。非常努
力地準備了一段時間後，我便向
家人和女朋友表示打算從珠寶業

轉為保險業。沒想到，他們紛紛支持我的決定，始終很多人都對保險
業有個誤解，覺得保險業是會斷六親的行業。家人和女朋友的正面支
持確實在我心中注射了一支很大的強心針。我更加想努力做好，日後
以最佳的成績去答謝他們的支持。

## 雄心壯志 & 心態調整

抱着戰戰兢兢的心情，每天九點到達辦公室，學習公司歷史，產品知
識，說話技巧等等。差不多接近一個月的培訓，便急不及待向身邊朋
友推介產品。試過在同一天邀約了 6-7 個會面，願意出來會面的卻只
有兩個。當下我自以為是基本功不足，所以簽不到保單。其實感覺也
十分難受，為什麼自己一個機會都沒有把握到？於是我決定反思現況，
亦聽從經理建議，要解決問題，必須找出問題根源，基本功不足，經

驗不夠，顧客自然信心不足，結果就是難以成交。針對以上兩項問題，我每天九點便到公司練習基本功，亦透過大量個案分享，大量的應對方法令我更容易回答顧客提出的疑問。另外我也透過臉書社交平台，每星期定期分享自己工作和生活點滴。從中令到客人加深對我的認識及令他們看到我對這工作的專注及熱誠，這一點一滴都令客人更容易了解，漸漸地增加了他們對我的信任度。

## 三顧草廬

客人轉介了一位她的好友給我，她是主動想了解保單內容的。第一次會面後，因為預算問題，拒絕了我的建議。及後我重新為她制定新的

建議書，再進行會面，深入了解。這次會面她説保單內容全部都滿意，但她卻想再比較多一兩間保險公司，所以當天又再度拒絕了我。之後我亦有跟進這位客人，亦得知她已經找了其他保險公司了解保障，亦表示看過幾間保險公司後，認為我給她的建議書是最有優勢的。知悉這情況下，我便想盡早把保單簽下，但她不但多次找藉口推搪，甚至不回覆我的訊息。

在一次機緣巧合下，我得知這位朋友原來生病了，需要入院進行治療。我亦運用自己在保險學到的知識及醫生網絡幫她尋找醫生和安排住院。這位朋友亦後悔不及當初沒有簽下那份保障，因為醫生告知診治費用十分昂貴。而這次的事件，令她明白到保險的重要性。把心一橫，決定為全家人都做好全面保障，包括危疾、醫療、意外、儲蓄、基金。我亦因這個家庭的保障，令我直接完成了入行第一年的 MDRT 百萬圓桌會員的資格。

這位客人為何選我做她的保險顧問？原因很簡單的，就是因為在她尚未在我手上購買任何保單，亦在她最無助時，我能運用保險知識及醫生網絡全力去協助她，令她感到很安心。我也偶爾在想，當初我再堅持多一點，嘗試再約她會面把那張屬於她的保單

成交，那麼她便能省下這筆高昂的醫藥費。因為現在她就算重新投保，保險公司肯定會減少保障範圍，甚是可惜。

## 我的價值

透過這個經歷，我開始體驗到我的價值就是要帶領客戶走在風險前。如果當初這個客戶簽下了保單，那她肯定是能省下一筆醫療費。但另一個方面，這次經歷也令她正視家人保障問題，明白到保險及一位好的保險顧問的重要性。最重要的是，我沒有因為客戶的拒絕而選擇不搭理客戶，到最後也能為她整個家庭做好全面保障，為她的家庭設立一把風險保護傘。

## 總結

在客戶的問題與拒絕中得到學習的相關經驗其實是一個很好的成長機會，可以幫助你從錯誤中反思解決，進而從自己的弱點與不足之處進行調整。在我們和顧客談方案時，難免會面對被質疑或拒絕的時刻，沒有人一開始就無往不利。成功的人會從中學習到教訓與經驗，進而積極學習。而失敗的人從此一蹶不振，並無法從中學習到當中精髓。

Eric Liu 廖鎮謙

## 驅魔第七式

- 我的價值就是要帶領客戶走在風險前
- 成功的人會從中學習到教訓與經驗，進而積極學習

Eric Liu 廖鎮謙

成長

# 跳出
## 舒適圈
### 你我都需要多一點勇氣

# Nana Wong 黃頌妍

- 澳洲雪梨麥覺理大學金融會計系畢業
- 前國泰航空空姐
- 2020 AIA First Challenge Award
- 2020 Raising Star Award
- 入職 5 個月達到 MDRT 百萬圓桌會員
- 2021 MDRT
- 第 24 屆小龍會
- 國際清酒唎酒師

呆在舒適圈的我們，很難走出去。我們面對著這個圈子裏熟悉的人和事，享受著這份熟悉，對圈子外面的世界有一種莫名的恐懼感。曾經的我在澳洲讀書，會計系畢業後回香港誤打誤撞便當了個空姐，一飛便是六年，當時的我已經是一個 7 歲女兒的媽媽，一向以來工作只是「賺錢買花戴」，工作對我來說並不是必要，對於理財一竅不通，事業亦是得過且過。處於自己的舒適圈裏面，從沒有想過會跳出去。而且本身打算一直靠老公照顧生活，亦打算繼續做空姐做到老。

空姐是一個安安分分便能排隊升職的行業，根本不需要很上心，不犯錯就好了。直到有一天，突然覺得有點麻木和迷失，每個月重複著的日子感覺沒甚挑戰性和成功感，但又不捨得這個一個月十幾天假期的生活模式及不錯的待遇。曾經很害怕每天辦公室的工作，覺得自己飛一輩子也不錯，可是很突然的，有一刻就好像有一把聲音告訴自己「我累了，我不想再飛了」。人生有很多關鍵時刻，必須要大膽想，出狠招！我深知要戰勝自己首先就要明確自己想要成為什麼樣的人，在這條路上需要克服哪些困難！你想成為一個社交高手，那你應該首先

克服自己的膽怯，主動和別人聊天，哪怕是 say hi；你想成為一個運營高手，那你應該首先克服自己的惰性，主動走出去聆聽大咖們的分享，哪怕只是幾分鐘。

明確自己的方向後，你需要明白成為這樣的人需要克服哪些困難？你希望能和別人用英語流暢的溝通，但是卻不敢？什麼原因讓妳不敢去主動找別人用英語聊天！怕自己發音不準確？對自己的外表不自信？怕對方聽不懂你在說什麼的尷尬場面？找到舒適圈之外恐懼的深層次原因，其他的就好辦了。而我明白我需要做的就是戰勝自己，跳出舒適圈。

2020 年的疫情也許對很多人來說都是個很難的坎，但是於我而言卻是一個難得的契機。我終於鼓起勇氣跳出舒適圈子開始找工作，一開始擔心會不會太晚轉行，從其他行業由頭開始，收入會很低，然而保險這行業的特色就是努力同成果是成正比的，就好比只要我能力夠一年就可以升經理，於是我選擇了它，我會覺得一切也是緣份，能遇到貴人開展我新的事業，以及一直以來的努力，現在有了第一個百萬圓桌（MDRT）的小肯定。從沒想過會加入保險業，一直以來我的人生目標只是吃喝玩樂，對於理財投資一竅不通的我，從來沒想過要靠自己去實現理想生活，起初只想全部都交給老公，安安穩穩的待在他為我築起的舒適圈內，現在我最想說的是我很慶幸也很感激自己的那份勇氣，

讓我的生活變得越發絢爛起來。乾坤未定，你我皆是黑馬。多嘗試這些你看似不起眼的新事情，你會意外發現每天的生活充實許多，而在不斷嘗試的過程，就是我們一步一步走出舒適圈的過程。

在入行初期，我對於自己的新身份表現的十分不知所措，在看到身邊人不斷發展自己的業務，而我卻一籌莫展的時候，我開始懷疑自己的能力，開始懷疑自己的選擇，甚至懷疑當初的那份勇氣是否只是心血來潮。後來直到我生命中的貴人，我的經理 Thomas，他了解我的情況後，就決定要幫我，他幫我有了屬於自己的市場，幫我們找專人拍視頻放上網等等。如果沒有他，就不會成就到現在的我，他令我知道到自己原來可以做得到，我下定決心一定要堅持下去，「世上無難事，只

要肯攀登」我相信我能成功將自己的恐懼轉變成興奮的感覺。一個人責任的承受度，代表一個人的成熟程度，我要證明，女人都可以靠自己過想要的生活，追尋夢想！

皇天不負苦心人，很快我就開了第一單，在這個過程中，其中我也付出了很多汗水，花了不少精力和心血，使我深深體會到只要用心努力付出了就會有回報和「主動、積極、分享、互助、知福、惜福、感恩、回饋」十六字真言的重要性。在後面的日子裏我沒有絲毫懈怠幹勁十足，終於我成為了超級新人王，11月份拿到了最高業績新人獎，之後於入行五個月時間拿到第一個百萬圓桌（MDRT），我相信在今後的工作中我會更加的努力，也堅信對未來的抱負就是我想成為更好的自己！

對於我來説，不斷積累的經驗就是沈甸甸的財富。現在的我接觸到很多之前沒有接觸到的東西，隨著視野的增強，眼光也開闊不少。以前總聽起其他人説理財多麼重要，但是當時的我完全不能真正理解這其

中耽誤意義。直到我進入保險行業，愈發明白理財的重要性。轉行後的我除了贏得了金錢，成功感，更重要的是我收獲了友誼。之前做空姐的時候非常羨慕老公身邊擁有非常多像家人、朋友一般的同事。但是我可以自豪的說，我也擁有了令我驕傲、讓我不斷前行的動力 —— 我的同事們。

「舒適圈待太久，看不清自己，看不清路」「改變自己會痛苦，但不改變自己會吃苦。害怕改變幾乎是我們每個人的心理疾病，因為慣性的心理模式使我們感到安全。試著走出心靈的舒適圈，與時代接軌，不斷改變的人生，會有更多出路」。這個過程需要克服恐懼，而不是逃避，縱使過程有痛苦，請你「給自己打 call」，做套路外的事，不管多小的改變，都在一點點走出舒適圈。試著愛上不安的感覺 —— 這是走出舒適圈的關鍵，不安往往暗示自己在成長！

## 驅魔第八式

- 待在舒適圈裏只是在給自己設限
- 不要等著被選，而是選擇自己想要的
- 將恐懼變成興奮的感覺
- Great things never came from comfort zone.

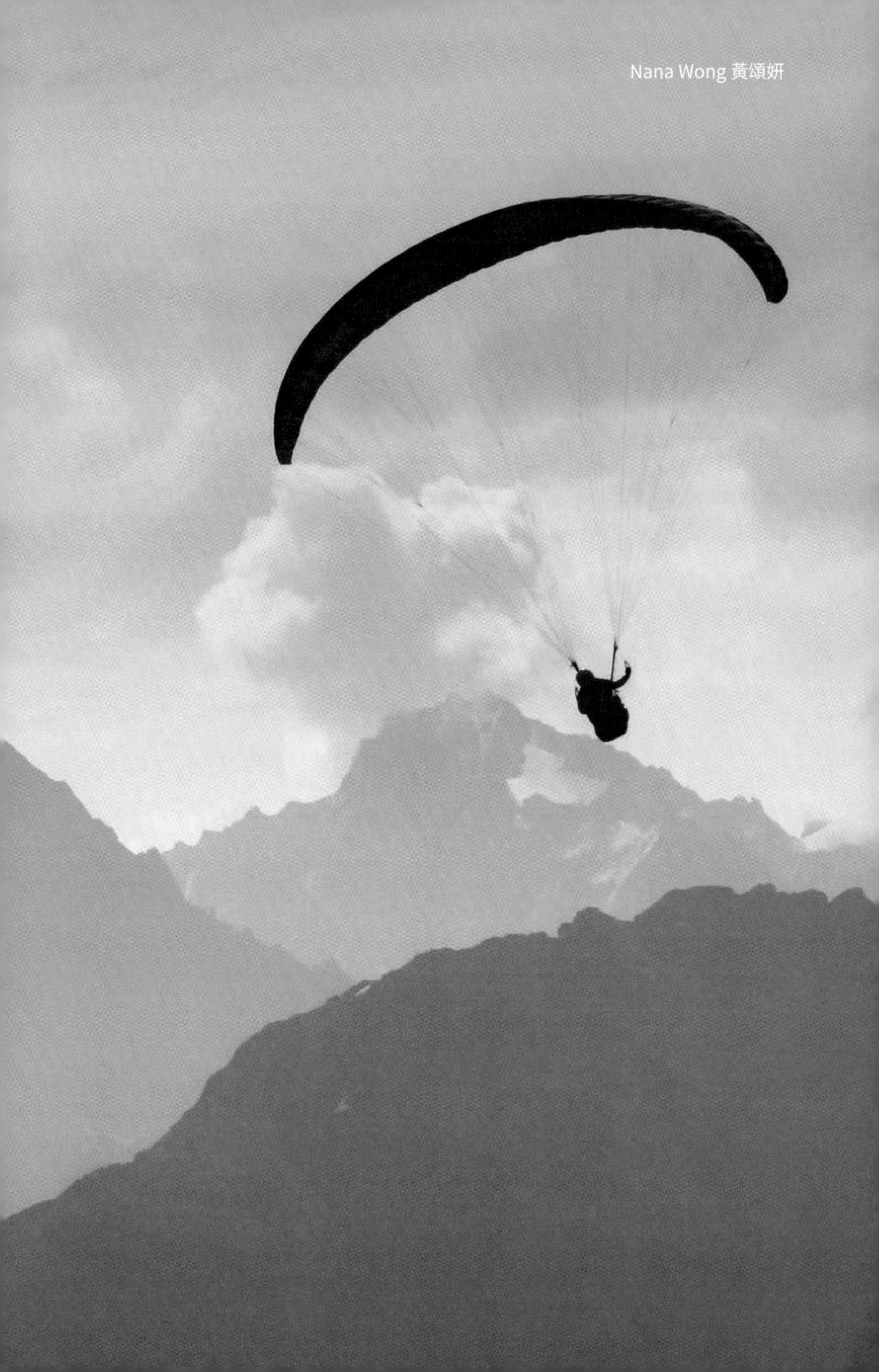
Nana Wong 黃頌妍

# 你行得上台
## 唔好怯呀

怯，你就會輸咗成世

# Boris Fung 馮尚文

- 2019 香港大學榮譽學士畢業
- 2019 財富管理經理
- 2020 保協「傑出新星獎」銅獎
- 2021 MDRT
- 2021 助理分區經理

## 開端

如果你期待睇到一篇驚天地泣鬼神的勵志成功故事，恐怕我要令你失望了。我的故事沒有垂淚感人的背景亦沒什麼感人肺腑的經歷，只有一個平庸的 fresh graduate 由一張白紙一步一改變咁成長成為 MDRT 的故事。

可能我從小就在一個幸福的家庭長大，爸媽都採用放養式教育，對我大多的決定都很支持，從來不會給壓力我，想玩運動就玩運動，喜歡打遊戲就打遊戲，只要開心成長，不用成就非凡。放養的程度是連小學時我一直考包尾，用試升方式升上中學，他們都從來不會責罵或打我。雖然試著試著，我最後都升得到上大學，但這個溫床亦讓我養成了一個小小的缺點，就是沒有野心又過分隨和，對金錢和成就都沒什麼要求。

那其實我這個沒野心又沒目標的人是怎麼會成為MDRT的呢？其實是經過了5個成長的階段；改變，學習，嘗試，去做，成功。這五個階段說簡單不簡單，難又說不上難。這五個階段如果我是一個人走的話，說不定到一半就放棄了，幸運的遇到一群支持我的人才能走到最後。所以在開始前都想借這機會感謝我的父母，朋友和經理們。那感謝的話就不多說了，接下來就分享一下我走過這五個階段的心路歷程吧。

## 改變

我跟很多人一樣在畢業前都沒做明確的規劃,不清楚自己未來的去向,最後就隨便開始了一份文職工作。每天重重複複的處理一樣的文件,在短短的 7 天內,我就明白了這份工作完全不適合我,本來我都是忍著,希望借這一份普通的文職的工作經驗讓我未來能找到一份更好的工作,但就是在工作的第六天,公司因為要節省資源,居然叫我去撿紙皮箱來做萬聖節的裝飾。叔叔在那一刻終於不行了,這一個勤務就是拖垮我這隻駱駝的最後一根稻草,在這百感交集的時候,我堅決的辭掉了工作。雖然沒有做過任何的未來規劃,我不知道我想要做什麼樣的工作。但起碼我找到了一個方向,就是不想做一份隨時能被取代,只是用來幫公司節省資源的工作。

隨著那方向我開始在大大小小的公司招募中尋找各種不同的可能性。老實說，保險這行業我想都沒想過，幸運的是當天在機緣巧合下收到面試電話的我，決定了去了解一下，而在誤打誤撞的情況下我幸運地入了保險行業。其實今時今日大學生要入到保險行業絕對不是一件難事，只要有呼吸的大學生都能進到保險行業。最幸運的應是我在面試中遇到了一位可遇不可求的伯樂。我懂的，你一定在想「MDRT 果然是 MDRT，寫書都不忘奉承自己經理」。但老實說如果要培養一個新人，大可找比我更有能力的，如果要卓越業務成績大可去找比我更有人脈的。但他這年薪過百萬的經理也願意花時間和資源在我這張白紙上，令像我這樣沒野心又對金融理財一竅不通的人能在這行業生存下來，而且第一年達成 MDRT，應該沒多少經理會這樣做吧。

## 學習

既然決定要嘗試，接下來就是裝備自己的時候了。其實在學習的路上，最難的不是讓自己在技巧上和知識上的提升，因為這些只要投放時間和心機就會有所進步，最難的是要學會跟自己的心魔搏鬥。

我記得我在第一天上班帶著緊張又興奮的心衝到 office，迎接我的卻是殘酷的現實。在我踏入辦公室的那一刻，就看到這團隊裏的人都西裝骨骨，身光頸靚，說起話來「有紋有路」，看起來都是非常專業的的年輕人。相比之下，我披頭散髮，衣不稱身，說話一句起兩句止，連

跟餐廳侍應對話都有困難，看起來跟中學生無分別。面對著這麼大的反差，少不免會讓質疑自己的心魔們有機可乘。這就是我遇到自己的第一隻心魔，「自卑」。他讓我不停地懷疑自己究竟是否適合在這行業發展。但錯有錯著，我傻頭傻腦的性格，令 ALLSTAR 的各位都當我弟弟般愛護有加，在跟懷疑自己的心魔搏鬥的道路上，耐性和熱心的教導我，鍛鍊我的溝通的技巧，社交能力和做人處事，讓我慢慢建立信心，給予了我跟這隻心魔搏鬥的技能和武器。

## 嘗試

有打機的人都明白，拿著新的武器加上新的技能，就自然會有不知哪來的自信，衝出去打怪。在學到新技能拿到新的武器後，蠢蠢欲動的我就衝出去了。當然心魔們也不會就此示弱，這次就叫來了他邪惡的兩個好兄弟，「拒絕」和「斷六親」看準了這個時機，發動了偷襲。在我入行後的第一個朋友的聚會中，有一位非常熟的朋友問起我的近況，我回答說我在保險公司中接受培訓時，他竟然說：「為甚麼去做保險，這樣跟做洗廁所的有什麼分別？有呼吸的都能做」，接著說了一些很難聽，非常負面的說話。他這回覆令我措手不及，我從來沒想過一個那麼熟的朋友會對我的新工作有那麼大的反感而且還直接在眾人前表達。雖然現在回想起，只覺得他就是因為跟我熟，擔心我才那麼直接表達他的意見，並不是想為難我。但當時的我只感到失落和不知所措，在餘下的聚會中都只能保持尷尬而又不失禮貌的微笑度過。

可是失落和不知所措的感覺並沒有跟著那次的聚會完結，而是一直揮之不去，腦裏一直重複那些負面又難聽的話。過了幾天，「斷六親」心魔就借著這失落的情緒慢慢將我的信心蠶食，腦裏想的不是怎樣才能成功，而是在想究竟自己走的路是否正確，我連一句保險相關的句子都未說出口就已經聽到如此難聽的話，如果開口了是否會聽到令我更難受的話呢？過了不夠一個星期我已經再沒有去跟熟人開口的勇氣。為了不浪費 ALLSTAR 各位在我身上花的心血，我試著不想太多地去見陌生客戶，但是遇到的也是「拒絕」的追擊，被客戶唾罵，批評，甚至在沒有通知的情況下不見人，白等了很長時間。事事不順令我感覺停滯不前，甚至開始產生了放棄的念頭。

## 去做

帶我走出這死胡同的是一個偶然，在沒預計的情況下逛進了一間鋪頭，發現了是一位較久沒有聯絡的朋友。他知悉我在做保險後，約了我談關於商舖保險的事，會面過程中，聊起我工作的事情時也沒有感覺他抗拒，而且非常支持我。熟絡後，便發現這個朋友的個人保險都變「孤兒單」了，那就順便幫他 Review，更新很多保障範圍不足的舊有保險計劃。事後他也感謝我的協助，讓他了解舊有保障的漏洞，而且更給了專業又詳細的解決方案（沒錯！專業是我加的）。

在做成這單生意後，我感覺整個過程比想像中直接，其實跟很多買賣一樣，我們只需要去解釋客戶在理財上的缺口後提出解決方案，其實我們做的就是把最專業的意見給予客戶。他們接受固然好，不接受也沒什麼大不了的，不用故意去放大失敗。我帶著這新的心態重新在嘗試，見陌生客戶時準備充足，好提升自己的經驗，技術和EQ，盡量在每個會面中提升自己，被罵的就當作是教訓。

## 成功

我就是這樣試著一步一步的成長，久而久之身邊的朋友其實也看到我的變化，見到我認真對待工作，他們也慢慢地接受此行業，而且願意出讓我幫他們 Review 現有的保險。再拉了我一把的是一位中學同學，也就是我從小一起打羽毛球的隊友，重新整理他的保險後，除了更新保障範圍，還幫他將錢從本來已供滿、較低回報的人壽保單裏，轉到一個回報更高的低風險儲蓄和投資組合裏，而且更賺了不少錢。我開

始找到新方向,「拒絕」心魔在我心中也沒什麼大不了,「斷六親」這心魔更是消失得無影無蹤,不再怕跟身邊朋友開口。本來怕這行會斷六親,但後來發現這行反而給了我更多自由的時間去跟朋友會面,不一定要是關於保險(其實我是去偷懶),反而讓我接觸了身邊很多本來已失聯或者較少接觸的朋友。而一直與我打籃球的中學同學們也陸陸續續地變成了我的尊貴客戶。

最後在我追逐 MDRT 這個殊榮時,更有朋友為了成就我,而特意約我去了解關於保險理財。回想起一路做過來的旅程,身邊其實出現了很多幫助我的人。靠我一個人走這條路是絕對沒可能成功的,也很感動身邊 ALLSTAR 的同事,朋友和親人都觀察著、鼓勵著、支持著我,更成就了我達成 MDRT 這小里程碑。我不敢說之後的路會很容易走,但我敢肯定有他們在,再難走也能走得過。

## 驅魔第九式

- 跳出 comfort zone
- 孜孜不倦地學習
- 不怕失敗勇於嘗試

Boris Fung 馮尚文

不要後悔
更要無憾

# Mason Hung 洪展鵬

- 2016 年香港恒生大學供應鏈及資訊管理學系榮譽學士
- 2017 年任職銀行業務經理
- 2020 , 2021 Million Dollar Round Table [MDRT]
- 2020 , 2021 International Dragon Award [IDA]
- International Quality Award [IQA] Silver 2020

## 成長，理應是滿途挑戰

小時候，總是認為成年人的世界是多麼的快樂，不用上課、做功課和考試。長大後，閱歷多了，才慢慢體會到，世界其實一點都不簡單。只是年幼時的我，沒有廣闊的視野和眼界，還未懂得去觀摩這個世界。

我是一個追求刺激，喜歡玩樂和熱愛運動的人，沒有太過專注學業使成績平平無奇，不過不失。而我家人從小就教育我必須要成為一個大學生，將來踏入社會工作才能比較順利，最後如願以償順利畢業。不過四年的半工讀大學生涯，卻深深影響了我對人生的看法。

為了賺錢交學費，這半工讀的數年間，我嘗試過不同種類的工作，例如售貨員，餐廳侍應，地盤工等等……這些工作都讓我深深感受到用時間和勞力換取金錢的辛苦，而在地盤工作更甚，曾經在炎熱夏天，三十多度，在佈滿反光板的大廈天台工作，半天的時間皮膚便曬傷紅腫，五天的時間便穿破了一對全新工人鞋。這些經驗告訴我，除了要欣賞每一位不辭勞苦去賺錢生活的人之外，更重要的是，必須要好好學會投資自己的人生，把你的未來看作一門最重要的生意，盡最大的努力活成你自己最希望的模樣。

儘管我們不能選擇自己的出生環境和條件，但卻可以親手打造自己的人生。成長的道路上總少不了苦，若果我害怕吃苦，那必定會苦一輩子，只要勇敢面對總會有轉機，而這世界本身就是一個競技場，所以需要的，就是為自己想成為的人生去奮鬥和拚搏。

## 出走舒適圈難　為自己拼一次

過往的工作經驗令我更珍惜我的大學學習機會。畢業後，沒有太多想法的我便選擇了一份(穩穩陣陣)的銀行工作，就這樣開始了銀行的工作生涯。我的工作主要是為客戶處理投資理財及計劃不同類型保險。這角色相對有點被動，但我不會放棄任何機會，向每位走進銀行的準客戶講解產品，漸漸地有很多初初只信任銀行的人，就成為了只信任我的忠實客戶。

我的角色就好比足球比賽中「後衛」的角色，自問擔任得十分稱職，亦在短時間內升職加薪，自己都曾認為應該就這樣的繼續發展下去，但每當有這想法時內心卻十分矛盾，想著為何我不能擔任「前鋒」？既然我在被動的情況下也可以達到一定的成績，我又為何守株待兔，何不主動進攻，尋找客戶，把一切都當成自己的生意看待，為自己爭取更多。

## 誠實面對自己

我內心經常充滿著掙扎，知道如果生活中沒有多點波瀾和變化，一直在舒服的環境和秩序中只會限制了我的成長。我很想為自己努力一次，跳出安全感的框架，勇敢的為自己開創事業新一頁。所以我決定了帶著以往的知識及經驗，充滿熱誠地加入保險業。

當身邊的家人朋友得悉我這個決定，都抱負面態度，擔心我能否賺錢糊口，能否抵住一般人對保險業的觀感等等。自己也自問並非一個聰

明伶俐，口才了得之人，但我相信努力堅持和學習就是成功之道，最後我選擇忠於自己，相信自己的感覺，再憑著一股衝勁，努力向前推進，本住以先做對的事情，再把事情做對。

MDRT 的牌匾，是我對自己的一個肯定，同時是行業對我的一個肯定。每一個獎項都是一個印證，我把它們全都放在枱頭，時刻提醒我要更進一步，成功就在眼前！

## 相信努力才是成功的基本

路是走出來的，並不是想像而來的。每一個選擇都有得著，不後悔才是最重要的。一旦定下目標就要把它完成，開始時每個星期都有小目標給自己，例如規定自己連續星期一至五每天拜訪 5 個客人，要求自己擺街站認識更多來自不同行業的人，希望讓客戶看見我真誠的態度；另外又會把工作上遇到的問題與夥伴們討論，不斷精進產品知識，務求做到最好。達到目標的過程中，有過懷疑自己的時候，不斷回顧初衷才使我沒有氣餒，當我達標後，真的非常有成就感，因為代表著自己不斷進步中，「踢緊一場好 ball」。

Work-life balance 對我好重要，Work Hard Play Hard，是我享受的事。童年時，沒有遊戲機，沒有智能電話，跟同學（通山跑）踢波是最快樂的事，直到我長大後仍然不可或缺的興趣就是與好友們踢波。

記得有一次，我需要在短期內完成看似不可能的任務，壓力來襲，但我不放棄繼續嘗試，用盡方法及時間，用真誠及專業把一個個保障方案帶給客戶，努力讓我得到客戶信賴，超額完成任務之餘，更成功爭取到公司的旅行獎賞！我的堅持不懈同時感染了團隊，和我一同奮鬥，這種滿足感和團隊精神的確難忘。

在成功的路上，必定會有同行者，一班好戰友共同奮鬥和鞭策大家，是推動彼此進步的最大力量！

# 我的百萬圓桌之路

一開始加入保險業，成為百萬圓桌會員必定是所有人的目標，世界只有約 6% 成員能夠加入百萬圓桌資格，而我當然也以此為目標。過程中的確遇上不少困難，而解決這些問題就成為每日的挑戰，那份滿足感確實難以言喻，推動我成長。

在這個行業要做得好，你就要把保險當成自己的一門生意，用心經營，目標都是可以觸及的。一直以來，我非常感恩一班支持我的客戶朋友對我的信任，所有我都以真誠和認真的態度對待。記得有一經歷令我印象深刻，有一位客人的小朋友，半夜突然發高燒，小朋友的媽媽不知所措，致電我求助，我立刻趕到醫院處理入院手續，幸好小朋友沒有大礙。這微不足道的幫忙，卻令人感到溫暖，事後我更收到我來自小朋友的答謝卡，令我確實感受到自己的價值，這個行業真的幫到別人，幫到自己。

收到這答謝卡後，萬般感受上心頭，我承諾會做得更好，一路進步！

我認為，做人處事不用太計較得失，執著在眼前的成果，堅守信念，了解每一位的需要，將你認為最好的產品帶給他們，同時亦要兌現承諾為他們護航。要知道努力從來不會白費，不要因看不到成果，就開始拒絕付出努力，放棄當初的堅持，今日撒下的種子，正在你看不見和想不到的某處，悄悄地發芽，為事業奠定基礎。

回顧返當日營營役役的我，確實成長了不少，如果沒有當初一個信念，成就不了今天及將來的我。

相信這個只時開始，未來還要更努力學習，我非常興奮和期待，一個更好的自己！

## 我相信我有更多可能

在這個充滿機會和挑戰性的行業，我是充滿信心，現在的任務就是帶領自己的團隊一起努力，一步一步的完成每個目標，學會用真誠對待所有人，用信用贏得所有客戶。

最後我想分享一句我很欣賞的說話

# 「花若盛開蝴蝶自來」

共勉之

## 驅魔第十式

- 世上沒有無緣無故的好運氣，只有不為人知的努力。

- 給自己一份信心，再給自己一個理由，最後加上你的勇氣，就會達到你超乎想像的成就。

Mason Hung 洪展鵬

# 人生規劃

# 爭氣

成為自己的靠山

# Marco Chan 陳業聰

- 2015 香港恒生大學 金融學系畢業
- 2018 入職
- 2019 100 天完成 MDRT
- 2019 LUA Best financial planner award
- 2019 CICFP Title
- 2020 Consecutive MDRT number
- 2021 Senior UNIT MANAGER

# 不成功可以有各樣的原因或藉口，但成功的因素往往都一樣。

## 爭氣 - 成為自己的靠山

未畢業時一直想像自己將來如何找一份合適的工作，到一畢業後，一路以平常心面對不同的機會，由迷惘青澀的 fresh grad，成長成一個有目標，有抱負的團隊經理。大家好，我是這一篇文章的作者 Marco，一個普通家庭長大的本地大學畢業生。我的背景和很多香港成長的年輕人也有點相似，或許可以給正在尋找人生方向的你們一些啟發。

公司經理就職典禮

## 頭 3 個 100 萬

從小就知道自己的家庭條件有限，想要將來生活過得富裕，一定要透過學習、投資和做生意。自小就對投資有著很大的興趣，並立心加入金融行業。由原本的理科生，到大學轉讀工商管理，專修金融。

出來工作的第一的目標，其實很膚淺地，就是可以在短時間內賺到第一桶金。可能出身條件不算太好，命運之神也就多給一些眷顧，很幸運地就碰上了一個機遇，很快地從一個互聯網生意上，賺到了的人生中的頭 3 個 100 萬。

好多人說「機會是留給有準備的人」，而我正正就是沒好好準備的人。300 萬說多不多，說少也不少，但同時期，跟我做同樣業務事情的人，收入是我的兩倍三倍。這是因為那些人更懂得珍惜機遇，更刻苦耐勞。那時候我才發現，自己以為自己很努力，但是在社會上一比較之下，其實自己在很多方面，還是差得很遠。第一次切身明白一句說話：世界上最可怕的是「比你強的人，比你還努力」。在機會來到之前，態度和思維上一定要有準備，知道自己在適當的時候，應該做什麼和不應該做什麼。

同時，我也很快意識到自己的網上生意模式，壽命不長，所以一年半後，決定重新找尋一個合適的方向，找一個發展目標作為終身事業，而金融業依然是我的首選。後來我加入了一個好有活力的年青團隊，在保險公司由低做起。

當時的想法就是要加入一個很難被科技完全取代的行業，而且在工作的過程中，我要

Capital Entrepreneur
100 天完成 MDRT 合照

認識一些可以啟發你思維、有願景的上司、前輩。因為這些才是可以提升自我價值的重要元素。畢竟，之前的網絡生意是提升了我的收入，但可以說是運氣多於實力。

## 深入了解認識自己，是進步的第一元素

你可以很貼切地用 3 個形容詞來形容自己嗎？很盡責的，很細心的，很內向的？會不會有時候懷疑自己的能力，甚至覺得不太了解自己？譬如，覺得自己有上進心，但同時又有點懶惰；覺得自己有自信，但在一些決策的事情上，卻很膽小。我相信有很多人都會覺得自己懶，但懶可能只是個結果，懶背後的原因，可能是自我要求低，沒有一個清晰的方向計劃。了解自己其實可以加快自我進步的過程，明白自己真正想要的是什麼。

我在一入行的時候，並不是一帆風順，開頭的時間也遇上不同的壓力，譬如家人的不同意（你無人脈、無口才，但我明白他們是怕我辛苦），自信心的不足（未有成功的經驗），沒有很強的目標感（自我要求低）。當我了解到自己最想達成的目標，明白是想成為一個有承擔，有個人魅力的人時，其實自然就會叫停自己不想出現的壞習慣，而不是單純覺得自己懶，無自信，而原地踏步。只有深入了解自己，和自己好好溝通，才能推動出自己最想要的改變。

另外，在別人給予我的大部分意見，我都是開放地接受，再去思考自己怎樣改善。在別人口中，你是可以發現一些自己不易察覺的特質，

例如，你說話時的語氣用字，在溝通的過程是給人什麼的感覺。接受意見好像是好容易的一件事，可是知易行難。譬如，以前別人也會說我懶，不夠努力，不夠認真，而當時心裏很下意識的反應，就是「我勤力果陣你唔知姐」。的確，有批判性的意見出現時，可能是不易接受，拒絕意見是很多人下意識的去保護自己，但願意開放自己去接受意見，才是推動自己進步的開始。

## 先決條件
## 如何做一個別人願意協助你成功的人

我十分感恩自己身邊經常會出現很多願意提攜我的人，提醒我的不足是什麼，不足的原因是什麼。我不是一個十分聰明的人，所以單靠自己努力，是比較難有大進步。我相信除了父母之外，沒有人會無條件

的幫助你去成功，去成長，除非你在別人眼中，是個值得幫助，有潛力的人。

離開校園後，我更需要有一個很好的學習態度，尤其是學做人。一開始在公司如果有什麼需要幫忙的，不論大小，我都很願意去幫忙，而答應幫忙的事，我都會把它做好。我覺得就是這一點，我得到了身邊很多前輩，也願意去幫助我，給予機會我去磨練學習，例如會帶我去見不同的客戶，教我做一些跟進服務，傳授更多經驗和見聞。

要得到別人的賞識或尊重，其實最重要的是堅持一些正確的原則，譬如：絕不遲到，做事有交代，做十足的事前準備等。必須堅持做好一些基本的原則，因為你做好了 99 次，但做漏了一次，別人只會記得你做漏的那一次。在渴望得到幫忙前，我們必須作出態度上的付出，堅持做一些對的事。學習做人比學做事更重要。

區域總監合照

Marco Team 合照

## 成績只是個結果，過程才精粹。

回想自己完成第一個 MDRT，可以説一定不是靠什麼廣闊的人脈、出眾的口才。得到 MDRT 的成績，最多的是靠堅持，用不同的方法，去找出潛在客戶，用所有的時間去學習，如何做得專業。這是一份源於很想証明自己能力的堅持。除了業績外，我會更自發性推動自己去進修，參加行內比賽，認識不同金融的事物，因為我知道我的目標，除了 MDRT 之外，還有更長遠的事業發展，需要不停累積更多的經驗和知識。

堅持的動力可以有很多，只是我們的堅持，往往是因為心中都有一個目的地，有些人的目的地是想買樓，想結婚，又或者是成為世界首富。當目標訂得越明確，越有願景的時候，推動力就越大。你在過程中的付出就會越享受，越覺得自己做的事是充滿意義。一輩子很短，稍縱即逝，做好目標規劃，更能體驗生命的意義，而非安然度日。

# 驅魔第十一式

- 擇善固執　從善如流
- 一輩子很短，目標要很精準，才不費時。
- 讀百遍書，不如親身實踐一趟。
- 不用很厲害才開始，因為開始了，你才會變得真正厲害。

Marco Chan 陳業聰

坐而言不如**起**而**行**

# Terrence Yip 葉卓豪

- 2017 年畢業於香港浸會大學體育、運動及健康學系本科
- 畢業後成為香港某航空公司的空中服務員
- 2019 年 8 月成為財務策劃顧問，並連續兩年達成 MDRT
  (2019, 2020)
- 2020 年 7 月晉升為助理分區經理
- 2019 Allstar 超級新人王
- 2020 MIB 小龍會 200% 參與資格
- 2020 巨龍會 200% 參與資格
- 2020《經濟一週》雜誌個人專訪
- 2020 保協 傑出新星獎 金獎
- 連續兩年達成 MDRT 資格 (2019, 2020)
- 2020 年 7 月晉升為助理分區經理

大學畢業後未找到自己方向，但又喜歡去旅行，所以就選擇了進入航空公司成為空中服務員，一待就是兩年。其實我挺享受這份工作，但係始終待遇不算特別好，養活自己都還算可以，但想存錢買樓成家立室就萬萬不能。我明白航空業不能成為我的終身事業，於是便開始考慮轉行。

當年畢業旅行隻身到雲南梅里雪山挑戰自我

曾經誤打誤撞下到傳銷公司了解過，但不覺得這種商業模式適合我和可以長久發展。及後在多年朋友及中學同學 Donald 介紹下，開始對進入保險行業有興趣。最初也只是抱著不妨一試的心態去了解，直到在 ALLSTAR 接受迎新課程，在區域總監 Billy 講解下，我了解到金融行業就係在香港的前景非凡，還有很大的發展空間，5G 個網上平台亦有助行業發展。亦加深了我對入行的興趣。另一個讓我決定入行的原因是

我相信保險，相信保險能幫人。我多年運動生涯大小傷不斷，「由頭傷到落腳趾」這句說話看似在開玩笑，對我來說卻是悲慘又無奈的現實。由撞穿頭，膊頭肌肉拉傷，膝蓋半月板撕裂膝蓋半月板，嚴重拗柴到腳趾骨裂，全部都活生生發生在我身上。若非我在求學時期已經有買保險，相信我早已破產。「容易受傷的男人」的經歷更令我明白保險的重要性以及保險業除了是一個收入來源外，真的是一門幫人行業。

2019 年 7 月於友邦精英學院畢業時與 Donald 的合照

入行後，常常聽到 MDRT 這四個英文字母，起初我只覺得代表錢，代表一個保險從業員有不錯的業績，能夠賺取一定的收入，但我又遠遠未到非要 MDRT 才能維持生活，而且我入職時已經 8 月，覺得要在五個月內達成 MDRT 太難了，所以起初對此並沒有太大的渴求，相應地行動力也不高，頭兩個月業績也就普普通通了。

我經理 Thomas 也察覺到這個問題，他花了很多時間與我聊天，給予我很大的啟發，令我知道在這行發展需要「行得快，行的遠」。要能夠真正幫助客戶，遠遠不止將保單賣給客戶，而是要能夠在這個行業行得遠，長期服務客戶，他們的保單才不會變成孤兒單，在有需要的時候雖持有保單卻迷茫無助。在這個行業要行得遠，不外乎兩樣東西：跑數和跑人，即是做好業績和建立團隊。那行得快呢？其實是令自己在這行業長遠成功，爆人爆數的助燃劑。

新人做生意會遇到的困難通常是：經驗和技巧未夠，以及客戶對自己信心不足。前者比較容易解決，公司精英學院的課程以及團隊裡每天都有的演練和培訓環節都能夠讓新人們快速地磨練技巧和吸取經驗。後者的而且確是一個硬傷，客戶未必會問出口，但心裡面都一定會有疑問：到底這位經紀會在這行業留多久？我的保單將來會不會變成孤兒單？我相信沒有一個經紀會說自己是「搵快錢」，相反都會希望能夠在此行業長久發展。但在入行時間未夠長的時候，客戶對於此番話的信心便不是

太高。要解決這個問題，便需要借助一些外在因素，例如獎項、報章雜誌訪問、國際殊榮，即 MDRT 等，加強客戶對自己的信心。

公司和團隊正正提供了很多這些機會，包括入職三個月的 First Challenge Award、四個月的《經濟一週》雜誌個人專訪、團隊裏的超級新人王、Winner's night 晚宴等，MDRT 當然是年終極大目標，當然這些都有相應的業績要求。Thomas 不斷鼓勵我去爭取這些機會做 marketing，向潛在客戶展示自己的成績和要在行業取得成功的決心，增強他們對自己信心，成交機會自然更大，也會更放心將身邊的人轉介紹給自己。更甚的是會有身邊的親戚朋友因為得知自己的成績而主動聯絡了解。

被打動的我知道自己暫時未有任何成績，技巧又有待磨練，只能將勤補拙。於是在入職第三個月開始一改過往的工作模式，盡力將每天的行程排滿，約見最多的潛在客戶，實行大數定律，以量取勝。當時曾經試過一日內見了 5 個潛在客戶，總共成交了 10 張保單。雖然都只是微不足道的小單，但每一張對我來說都十分有意義，他們見證了我的奮鬥和經驗的累積。如是這，就像打機過關「升呢」一樣，我於第三個月成功奪得超級新人王，第四個月成功爭取雜誌個人專訪機會，一步步走到 12 月尾，最終成功獲得我的第一個 MDRT 殊榮。

初入行的我覺得 MDRT 除了代表不錯的收入外只是用來「威」、「型」，但當我完成第一次 MDRT 後，我慢慢發覺 MDRT 的意義其實不只這樣。開始有很久沒見甚至本身不太熟絡的朋友聯絡我，想了解保險或投資

的資訊。我問他們選擇我的原因，得到的回覆大多是因為我是 MDRT，他們認為比較可靠。我開始明白 MDRT 的意義除了「型」、「威」外，更代表給予客戶的信心。另一方面，MDRT 亦能幫助展現自己的專業性，令我在面對客戶時能更有自信，因為我知道自己是專業的顧問，職責就是給予客人專業的意見。不管他們最後決定成為我的客戶與否，都問心無愧。

MDRT 獎牌

然而，MDRT 的意義就只限於與簽單、業績有關的事上嗎？當然不是。
如上文所述，這行的玩法除了跑數外還有「跑人」，即是建立團隊，向
管理的方向邁進。

看到這裏大家可能會有一個疑問：入行只有不到一年時間，雖然已經
達成 MDRT，但是要成為經理帶領團隊，會太早嗎？其實不會，反而
有不少的好處。

第一，把握熱度，招募更容易。人類，香港人亦然，對事物很容易就
看習慣，當你已經達成 MDRT 好幾年之後，旁人就會覺得沒有甚麼
特別，好像是很基本的東西，對你的好奇心就會慢慢下降。相反，在
第一次成為 MDRT 時，因為很新鮮，自然的興趣相對會比較大，會比
較好奇保險業是怎樣的，你是怎樣做到 MDRT 的等等。在這個氛圍下，
約見對象以及談招募會比較容易跟自然。

團隊裡與我共同奮鬥的 3 位戰友（左起：Dickie, 本人 , Ashley, Karen）

第二，早着先機。市面上其實不乏對入行有興趣，但正在猶豫自己到底能不能勝任，身邊又沒有特別出色的經紀，不知道能跟隨誰入行的招募對象。越早成為 MDRT，越早開始招募，就有越大的機會成為他們身邊的第一人，競爭對手就越少。再將自己快速達成 MDRT 的經歷跟他們分享，給予他們信心，招募也就更得心應手。

第三，良性壓力帶來動力，一直進步。建立了自己的團體後，身為經理的你就需要以身作則，成為同事們的榜樣。於是會有良性的壓力，

推動你繼續進步，不讓自己怠慢工作，對自身來說也是一件正面的事。另外，這裏就要説到最多人會有顧慮地方了。自己也剛入行沒多久，很多東西也不算熟悉，真的能夠帶領同事，幫助他們成功嗎？當經理到底是要做甚麼？筆者自己也有相同的顧慮，但別忘了你有團隊、前輩們。他們的經驗和協助絕對能夠幫助你學習如何當一個稱職的經理，只差你有沒有踏出這一步去嘗試，去開始。只要願意，你就能跟你的隊員們一起進步。

不斷有新挑戰和嘗試，是這份工作吸引我的地方之一，也令我的生活與之前相比充實了不少。願大家也能找到工作的意義，一直勇往直前吧。

## 驅魔第十二式

- 找到工作的意義，行動力自然湧現。
- 將勤補拙。
- 擁抱挑戰，勇於求變。

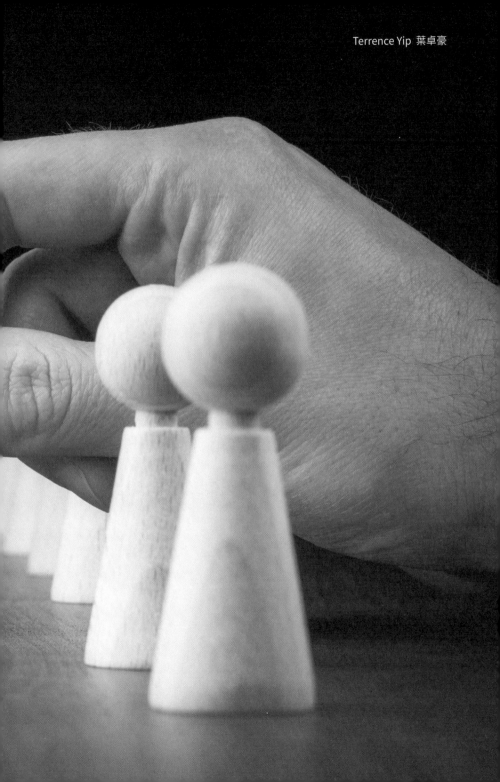

Terrence Yip 葉卓豪

# 不忘
# 初心

堅定地執行自己的原意

# Melissa Tang 鄧詠兒

- 2015 年於伊利沙伯醫院普通科護士學校畢業，成為註冊護士
- 曾任公立醫院護士，在胸肺科、心臟科及感染控制隔離病房
  工作，期間修讀香港大學護理學學士課程及畢業
- 2018 年在瑞典首都斯德哥爾摩 Working Holiday 一年，用 5
  個月的時間在當地餐廳從 Part-time 晉升至分店經理
- 2019 年 8 月成為財務策劃顧問，在 2020 年成為 ALLSTAR 區
  域第一位完成 MDRT

## 「不添加煩惱給人，盡自己能力去幫助別人」
是父母由小到大播下給我的一粒大種子。

在自己的記憶抽屜翻箱倒櫃，小時候與媽媽逛工展會，是回憶裡影響我最深刻的事情之一。

每年年頭，媽媽都會趁着工展推出各種優惠，帶我到維園走走逛逛。跳樓價的柴米油鹽當然不能吸引兒時的我，搶眼粉紅色的阿x羅乳酪雪糕攤位才是跟媽媽到工展會的一大誘因。誰知拿着大大杯雪糕的時候跟路人相撞，當時只有八歲的我完全不能反應，望着掉在地上的一灘雪糕呆了。媽媽當下的第一反應是：從手袋拿出紙巾，蹲下來把地上的雪糕擦乾淨，並對我說：「這裏人來人往，若經過的人踩在這灘融化的雪糕上，可能整條路都會變得髒髒的，令整個地方好不整潔，倒不如，我們就趁現在先快快地收拾好。」長大後，這段回憶總是不時地出現在我的腦海。或許，是媽媽的這個小舉動，「同理心」這顆種子就在小小的我心底裡開始萌芽，植根在我的想法。

看見別人得到我的幫助、聽見被協助過的人跟我說聲唔該、多謝，都是我在生活中獲得幸福感的一大來源。因此，成為註冊護士，幫助有需要的人就成了我人生的第一個工作目標。在公立醫院當護士的經驗中，我學習到各樣健康知識、專業照護技巧、人體的病理及身體結構。

公立醫院的前線護士，應該是眾所周知、出了名的「忙」。讓我略略分

享以往當護士的工作時間表：

0700 交更
0710 量度空腹血糖（俗稱篤手指）及
　　　評估病人情況（俗稱量 vital signs）
　　　及派藥
0715 鼻胃管病人餵飼
0730 臥床病人換尿片及轉身
0830 洗傷口及沖涼
0900 早餐時段
0920 醫生巡房
1030 跟進醫生 order 及安頓新入院病人
1100 處理出院病人文件
1115 臥床病人換尿片及轉身
1130 鼻胃管病人餵飼及派藥

然後下午時段，所有的工作就會再循環一次，直至深夜。

面對著不斷湧入病房的病人，無止境的護理工作，讓我在幾年的護士生涯裡，覺得自己越來越像個機械人。日復日、夜復夜的工作日常 —— 就是先為三十名病人量血壓，再為二十名臥床病人換尿片，再為十名病人餵餐……∞無限循環著。為了更有效率地執行繁瑣的護理工作，除了快、精、準地照料好每一位病患，更多的是需要犧牲自己的用餐時間、上廁所次數去做好病人日常護理。無奈的是，不管我如何節省時間或是更有效率地執行各項護理工作，依然追不上排山倒海而來的病人需求。

經歷過胸肺病房、隔離病房和心臟科病房等工作，每天營營役役的 Routine 工作，能夠以最前線的身份為病患提供專業醫療服務的日子確是非常充實的。但當一個人沉澱下來的時候，亦會反思我每天機械式的工作是否做得充足？是否發揮著自己最大的效用呢？

或許未能想像自己會變成怎樣
但總會在摸索的路上知道自己不想要的

在修讀護士學校期間，有一課當時不能理解 ——「剖析社會健康系統課程」，名為 Primary Health Care（基層健康服務），但現時的我卻有深切體會。

## What is Primary Health Care?

**Tertiary Health（第三層醫療服務）**
長期醫療服務和成本高昂的護理服務
例子：療養院、復康醫院及治療療程等

Secondary Health（第二層醫療服務）
專科醫療護理及醫院護理服務
例子：急症室、日間手術、專科門診等

Primary Health（基層健康服務）
預防疾病、保健及健康教育、提升大眾健康意識
例子：母嬰護理（包括家庭計劃）、防疫注射、舉辦健康講座等

課堂上，老師讓我們討論，關於香港醫療制度的問題：公立醫院與私家醫院的服務供應失衡，而其中一個關鍵點為醫療保險。原來，世界各地的已發展國家，均建立一套包含各社會階層的醫療保險制度，去確保當地市民能夠享有良好的醫療服務。（需強調）不論是公立或私營醫院，香港均擁有頗高的醫療水平。我想，這也是其中一個原因，為什麼香港的人均壽命可以傲視全球。但制度面，公立醫院的收費永遠與私家醫院都差上一大截。在公立醫院住上一天只需收費 $120，而私家醫院則可能以數千甚至數萬計為一天的住院費用，如患上需住院較長時間的疾病，醫療洗費更可能是個無底洞，完全無法預測。這令普羅大眾都偏向擠進公立醫院，使公私營醫療系統嚴重失衡。當我切身體會到這個制度缺陷，疲於奔命在護士工作時，亦正值政府推出自願醫保計劃。同時間我也遇上現時上司 Marco，讓我認識了前線理財策劃工作，在健康保險範疇上，如何用專業角度向客戶介紹醫保計劃、進一步提高客人的健康意識等等。他也與我分享工作時的各種辛酸和趣事，更令我對理財策劃這份工作感到非常好奇。

在成為 Financial Planner 前,我有一年時間去了瑞典 Working Holiday。
當中經歷過在瑞典入境處遭受白眼,三個月內投了將近一百份履歷,
卻沒得到任何回應等辛酸。幸運地在第二份的餐廳工作中,僅用了五
個月時間,由一位 Part-time 小店員晉升到分店經理。喜歡挑戰、樂於
助人、對世界充滿好奇心和目標導向型人格特質是週遭朋友們對我的
形容詞,原來我在護士工作期間的確是圓夢到想幫助人的目標,但因
護理工作的先天設定,包括排凳仔的升遷制度,刻板的工作生活,均
局限了我發揮所長。

在瑞典 Working Holiday 時,與餐廳同事們的合照

可形容，這一年的經歷是我的人生轉捩點。工作以外，瑞典的慢活氛圍，各種親親大自然和森林的機會，讓我學懂了 ME Time，多了與自己對話的時間，更令我認識自己。最大的得着是領悟到：將來的你未必如你所願，但請先做好當下、相信自己，想辦法提升自信，找出自身優點並盡全力發揮，然後 —— 擁抱未來。

## 誤解來自不了解

好多人都曾問我這個問題：成為理財策劃豈非浪費了辛苦考來的專業護士資格？其實普遍人均會忽略一個考量，「理財策劃」同樣是一個專業。而擁有雙重專業身份的我，更可以學以致用，將準確且專業的健康風險管理、理財風險管理資訊帶給我的客戶。理財策劃工作非常多樣化，除了接觸各式各樣的客戶，更會需要與不同的專業人士合作。我清楚自己的定位是在源頭開始去提供醫療護理資訊、專業理財分析

參觀私人醫療集團，認識不同界別的健康專業人士，如營養師、物理治療師等

顧問服務。例如：我曾在公司例行早會分享客人由私家醫院轉自公立醫院的案例，教導同事因應疾病種類、危急程度，去決定什麼時候應該建議客戶選擇公立醫院、什麼時候應該讓私家醫院服務等等。亦曾邀請健康醫療相關行業的專業人士，如專科醫生、物理治療師、瑜珈導師、運動教練、營養師等分享最新的健康風險管理知識。比起以往在醫院，是縱向式關係，僅在前線執行對病人的護理工作，現階段的

邀請物理治療師、瑜珈導師等到公司與同事分享健康資訊，並教授各種適合在辦公室做的伸展活動

我是橫向式地發展，把我所擁有的健康知識、相關專業人士的人脈共享給我的客戶和同事們。即使現在的我不是第一線照顧著病人，但可以透過間接、後勤的方式，去繼續幫助人，發揮我所能。例如為客戶作初步狀況解釋，再提供適合的專科醫生作治療、與同事們討論特別個案及解讀由客戶提供的醫療報告（雖然不再在病房跟著醫生巡房，但依然有很多機會解讀某些醫生的狂草病歷）等等。

相信看到這裡，不少讀者被前面所描述的各種內容，都會認為擁有雙重專業身份，專業醫療背景的我應該很輕易就能夠達到 MDRT 榮譽。但若細心回想一下，我在達到 MDRT 業績是 2020 年，正值疫情爆發最嚴重，限聚令準備實施，沒有人願意流連在街上的一年呀！在各個作者經歷分享中該可以理解到，是一個說難不難、話易不易的頭銜。但必經之路，就是會有大突破、轉變。而我所面對的最大心魔就是 —— 外表形象上的自卑、面對鏡頭及露面的膽怯。從小到大，我都對鏡頭非常敏感，不是很會擺 Pose，而是一看到鏡頭就能避開的本能。其實，Billy 在 2019 年底時已有鼓勵我們拍短片，放上社交平台，好讓客戶可以隨時重看各種專業保險知識及有機會接觸更廣的客戶層面。由開初不願露面，只會做自編、自導、找同事演，到後期得到 ALLSTAR 不同經理、同事的鼓勵去登上螢幕，並剪接自己的影片。那種用盡力跨出長久以來待的舒適圈的不安感經驗，是非筆墨能形容的。現在回想當將第一條露面影片剪輯好，並準備按下上傳的那一秒應該是我畢生都不能忘記的時刻。慶幸身邊的朋友都對我的影片成品持正面反應，甚至更提議我去拍不同的題材。

除了「誤解來自不了解」，現正更新系列：你知道唔知道 MPF 搵到錢？

由一開始「產品導向」的影片到後期「誤解來自不了解」這個系列的誕生，都是以希望觀看者能從幾分鐘的影片中，獲到丁點知識為出發點。當我接觸得越多客戶時，就發覺癥結點在「誤解」：或許有些人是以往對保險有不好的體驗，有些是坊間流傳理財策劃的都市傳說，都導致大家對保險這個產品或是理財策劃這個行業有負面的印象。而拍片就變成了一個我能借助的工具，向人解說理財概念，以輕鬆的形式呈現我們這行的秘辛。

現時的工作是我很喜歡的，也在這工作中獲得了很大的成就感。感謝大家將我的少少人生部分看到最後一句，希望大家都能在工作中找到幸福感，畢竟工作佔了人生很長的時間啊！

## 驅魔第十三式

- 可以找出想改變的初衷，最好用文字方式紀錄，並不定時查看

- 請擁抱未來，將來的你未必如你所願，但先做好目前的自己

- 相信自己，想方法提升自信，找出自身優點並盡全力發揮

Melissa Tang 鄧詠兒

# 轉行

成就 更好的自己

# Kelvin Liu 廖鎮威

- 香港科技大學理學院榮譽學士
- 前國泰航空見習機師
- 百萬圓桌（MDRT）早鳥達標會員 2020, 2021
- 入職 17 個月完成 3.5 倍百萬圓桌資格
- IDA 國際龍獎 - 銅龍獎 2020，銀龍獎 2021
- 保協 2020「傑出新星獎」- 金獎

## 由折翼機師，到重新起飛，再到振翅高飛

我一直以為飛行是我的理
想職業，但原來卻是這個
「理想職業」成就了我的
「終身事業」，這就是──
「金融保險業」。

驀然回首，人生，往往有
很多可能性。

## 一切從「飛」開始

我出生於小康之家，父親和母親都是公務員。

母親一向很注重教育，從小培養我閱讀的習慣，並對我灌輸「一定要上
大學」這觀念，而我很單純地覺得這個目標一定要完成，於是考入了英
文中學，並到法國巴黎作交換生，最終畢業於香港科技大學理學院。

雖然我們的家境不算十分富裕，但回想起來，父母的確投放了很多資
源栽培我和弟弟，令我們有相對優良的環境成長，我認為我們是比較
幸運的一群。

大學畢業後，父母希望我跟他們一樣，加入政府工作。但我很清楚我

喜歡旅遊，了解不同國家的文化，嚮往自由的生活模式及優質生活，所以我決定投身航空業，成為一位空中服務員，環遊世界。

我在一間中型航空公司工作了四年後，轉職到另一間香港大型國際航空公司，然而這間航空公司為我的人生轉變埋了第一個伏筆，因為她令我認識飛行，並希望成為一位飛機師。

起初只是抱着「一試無妨」的心態，對自己沒有太大的信心，因為在我的印象中，飛機師總是外國人或是在外國長大並以英語為母語的亞洲人，況且我有一個很大的「死穴」，那就是我的雙眼有1100度的近視！老實說，哪有飛機師的雙眼有這麼嚴重的近視？

我是那種專注做好一件事的人，當我決定要做一件事的時候，便會全力以赴。最終，我很幸運，順利通過了飛機師的七個甄選過程，獲得了到澳洲阿德萊德受訓的機會，成為了一位見習機師。這個經歷對我的人生起了一個很大的正面作用，因為我知道，原來做什麼事情，只要百分百專注，憑個人努力，結果是掌控在自己手中的。

Parafield Airport ——
我們受訓的機場

飛行訓練進行中

機場停機坪與美麗的天空

飛行時的風光

我與我的飛行教練 ── Pablo，
他是一名很好的教練

正當這個概念深深植根在我的腦海裏的時候，我卻發現，個人努力固然是很重要的一環，但飛行訓練及飛行本身卻有很多不是個人可以控制的因素，例如天氣、飛行時段、飛行進度、突發航空交通情況、飛行導師、資源分配等等。這令我明白到「計劃趕不上變化」，原來並不是所有事情，都是可以憑個人努力決定結果的，而人生亦不一定隨着我的計劃編寫下去，天時地利人和缺一不可。

# 重新起飛 原來一切都是最好的安排

見習機師的經歷令我的人生轉變很大，直接為我進入金融保險業埋下伏筆。

我是一個很理性，並很着重準備及規劃的人。從澳洲回來後，重新站在人生的十字路口上，我選擇跟家人到泰國度假一個月，重新整理思緒，計劃人生。

很記得那時候的感覺很深刻，就是一種你認為在你生命中很重要的一樣東西突然消失的感覺，而這種東西你付出了很多的努力把它拿回來，甚至你曾經以為這東西就是你生命的全部。

話雖如此，現在回想起來，我那時候其實很冷靜，亦很理性，並以邏輯思維去解決當時的問題。那時候其實空中服務員的工作還是可以繼續的，因為那時公司很貼心地為我安排停薪留職到澳洲受訓的。但我從澳洲回來後，便決定辭職了。

我當時清楚意識到，從澳洲回來後，我對自己的觀感有着根本性的改變，那就是 —— 我知道我值得更多，而我聽到我的內心深處不斷告訴我：你要尋找下一個突破的機會，成就更好的自己。

現在回想起來，大概就是因為經過見習飛機師的嚴格篩選過程後，我對自己的能力有一種肯定，因此潛意識認為無論我從事什麼行業，只

要全程投入，都是有能力成為行業精英的。這種自我觀感非常重要，我認為這是我有幸能成為百萬圓桌的主要原因之一，亦是作為保險代理人很需要的一種心態。

重整思緒後，我最後想出了四個選擇。第一，就是重新投考其他航空公司或香港飛行服務隊的見習機師或者自費到澳洲考取飛機牌照。雖然財政上我是可以負擔的，但我心知這道路肯定是異常艱難的，因為最差的結局就是我花了幾年時間，然後屆時我已經 30 歲中旬，如果不成功我便一事無成，再加上我雙眼的近視由始至終都是我飛行事業的一種很大威脅 —— 只要我雙眼的視網膜有什麼毛病，我便會失去飛行牌照，而一個喪失牌照的飛機師就如同一個不能簽單的保險代理人。基於以上種種實際的考慮，我最後排除了這個選擇。

第二，從事政府工作。這個肯定是我父母最想看見的選擇。無可否認，對很多人來說政府工作是理想「鐵飯碗」職業，而且工作福利豐厚，但我很清楚，由始至終安穩生活都並不是我所嚮往的，而我亦非常抗拒在我 30 歲的時候已經可以預視我未來 30 年在事業上的發展框架，所以最後我亦排除了這個選擇。

第三，到投資機構工作。我一向對投資有濃厚興趣，因而引申出投資機構工作的念頭。但我始終並不是畢業於商學院，加上希望我未來的工作並不再是受薪的，而是有生意或創業成份，因此亦排除了這個選擇。

最後，我決定採取第四個選擇，那就是加入金融保險業，而最大的誘

因就是因為我的弟弟 Eric 及弟婦 Apple 也是在這個行業的，而且做得非常成功，因而我被吸引加入了金融保險業。Eric 入行前是從事銷售工作的，加入保險業後以六個月時間取得了百萬圓桌的資格，而 Apple 是前日本航空空姐，同樣加入保險業後在首八個月內完成了百萬圓桌。我那時的想法是，所有的成功總是有一種方法的，當然另一個重要因素就是個人努力，那就是說，成功本身就是可以複製的，而這個概念是從投考飛機師的經歷印證過來的。而 Eric 和 Apple 的百萬圓桌資格已經證明了他們的方法是可行的，而且我跟他們一樣都是做事很專注的人，因此我認為他們能夠成功的話，我理應也是可以的。我當時就是抱着這樣一個的很簡單的邏輯思維，加上保險業有創業成份，亦不是受薪工作，很切合我對工作性質的偏好，便決定加入了金融保險業。

那時，我和絕大部分的保險代理人一樣，都是抱着一份不確定的心態入行的，殊不知這決定將會是我人生的一個轉振點。

## 以 17 個月
## 從保險新手蛻變成 3.5 倍百萬圓桌的行業精英

### 聽話照做

雖然我從大學畢業起已經開始接觸投資，但畢竟並不是修讀金融系出身，加上從未接觸銷售行業，所以剛開始的時候我選擇了聽話照做，以空杯心態跟着 Eric 和 Apple 的方法去開展我的保險生意，反正他們的百萬圓桌資格也是這樣做回來的，所以我相信只要跟着他們的方法，並全心全意去做，我也能成為百萬圓桌會會員。

現在回想起來，原來這種聽話照做的心態正正是新人起動的最佳方法。

剛入行時，我告訴自己無論如何都要成為百萬圓桌（MDRT），因為那是行業精英的代表，而成為行業精英正正是我入行的初心。

我入行時與 Eric 拍的
第一張照片

我的第一位全方位客戶

我是一位很幸運的保險代理人，因為入行不久我便迎來我的第一位全方位客戶。

她是一位我的中學同學，名字叫阿花。在一次飯局中，阿花透露在數年前已有購買保險的念頭，但可惜一直未能找到一位合適的保險代理人。適逢我剛入行，她想給予我一些支持，而且她很清楚我的為人，

有信心我會全心全意把服務做好,所以便決定成為我的客戶。那時候我其實很感動,眾所周知保險代理人的流失率一向甚高,而保險本身是一個超長期的產品,客戶最擔心就是保險代理人離開行業,然後客戶的保單變成了沒有專人跟進的「孤兒單」。我想換轉是我,或許我也會選擇先觀察那保險代理人一段時間,如果看他在行業做得略有成績,才跟他買單。而阿花卻對我有絕對的信任,採納了我為她度身訂造的全方位理財方案。隨着 2019 年香港的政治事件,以及 2020 年的全球疫情大流行,環球經濟環境轉差,但我為她所選取的理財方案仍有着很不錯的回報,相信這是答謝她的信任的最好方式,亦是我給自己的一個最好交代。

其後,阿花為我作了數個轉介,為我的百萬圓桌之路提供了一個很好的開始。直至現在,我還是很感激她,因為每一名保險代理人都需要第一批忠實客戶的支持才能在這行業開啟良性循環,這對保險代理人的長遠發展有着基礎性的影響。

我的第一位全方位客戶 —— 阿花

日子就是這樣忙碌卻充實的過去，我在 2019 年 8 月，即是入行的第四個月，成功取得了百萬圓桌的資格，接踵而來的便是一連串的獎項、公司嘉許晚宴、報章表揚等等，良性循環就這樣開始了。

回想起來，我就是這樣每日重複着之前提及過的工作循環，並沒有太着眼薪金，有時候甚至連糧單日也忘記了，反正保險業是每個月發放薪金兩次的，但有一樣東西我卻很注重 —— 每次見客後的自我檢討。無論簽單與否，我也會進行一次自我檢視，然後致電給 Eric 告訴他剛才見客的情況，並一起討論剛才的見客情況，如果簽了單，我們會討論有什麼地方是做得好的，並會加以強化。如果簽單不成功，我們則會討論原因，並會加以改進，務求下一次面對相同情況時可以把事情處理得更好，以增加下次簽單的機會。這樣的自我檢討是非常重要的，亦是保險代理人能快速進步的最有效方法。

我們仨一起出席公司的嘉許晚宴

我與 Apple 一起出席公司百萬　　公司為我拍攝百萬圓桌專業行政照
圓桌（MDRT2020）香檳早餐會

時間自主 樂在其中

我很清楚每天朝九晚五的辦公室生活並不是我所嚮往的生活模式，而
這個亦是我大學畢業後選擇加入航空公司的原因。而我最終選擇加入
保險業的其中一個主要原因正正是時間自主的工作模式，讓我可以彈
性地安排時間，全權掌控自己的日程。

我最享受的，是保險事業讓我可以擁有比航空公司更自由的生活模式。
還記得在 2019 年 11 月，那時候我剛完成了 1.5 倍百萬圓桌，於是決
定給自己一個長達一個月的悠長假期，最後花了三個星期在泰國度假，
及一個星期到杜拜旅遊。在度假期間，基本上每天日落前都是在島嶼
度假村的無邊際泳池度過，一邊曬太陽、一邊聽音樂、一邊閱讀。這
樣的行程是我刻意安排的，除了放鬆身心之外，我就是希望讓自己大

量閱讀，豐富及擴闊自己的思維及知識水平，從而令自己的保險事業更上一層樓。而旅遊亦是我非常重視的一環，因為旅遊是擴闊眼界的一種主要方式，亦是優質生活其中一種很重要的元素，對保險代理人的格局提升有着顯著的幫助。

悠長假期過後，我確切感受到我對重新投入工作有一種強烈的渴望，繼而對工作更有動力。

到泰國及杜拜度假，時間自主是我選擇這個行業的其中一個主要原因

穎怡事件 令我知道我的工作更有意義

或許很多保險代理人入行十多年還沒有危疾理賠經驗，我卻沒想過我在入行的第 11 個月便需要為客戶理賠嚴重危疾，這經歷讓我非常重視

我在設計保單的專業能力，因為這直接影響客戶的利益，並重新審視我作為一名保險代理人的工作意義。

穎怡是我的朋友，那時候她知道我將加入保險業，便主動説要給我一些支持，決定向我購買兩份教育基金給她的子女，然後她還説她在另一間保險公司有一份 15 年前購下的保單，現在已經供款完畢，所以希望加購一份保障較全面的保險，於是我為她所有的保單做了一個全面的保單檢視，並建議她加強危疾保障。

她那份 15 年前買下的保單提供 20 萬港元的一次性危疾保障，而那時候我建議她加購一份保額 80 萬港元的多次性危疾保障，而她最後只選擇了加購 30 萬港元的危疾保障，原因是她的兩個孩子開支龐大，所以希望降低保費，但我知道她的財政狀況是可以負擔保額 80 萬港元危疾保障的保費的，只是她不希望花費太多購買保險。很不幸地，在她的保單生效七個月後，穎怡確診了乳癌，那時候她才 35 歲，而她的兩個孩子才 4 歲和剛滿一歲。

當理賠程序完成後，我到她家親手送上一張 30 萬港元的理賠支票。

很記得她當時面上的表情，就是一副雙眼流露出萬分感激的樣子，然後她對我説：「我很後悔那時候沒有聽你的建議購買保額 80 萬港元的危疾保障，真的沒想過我這麼年輕也會確診乳癌。我現在是否什麼保險也買不了？」

而她這句話重重的震撼了我，並且讓我感到無比的內疚，原因是她讓我意識到我沒有完全做好一個專業保險代理人的本分。無可否認，當她向我洽購保險時，我只是一名剛進入保險業的新人，對保險整個概念的認知並不全面，而且為客戶設計全方位方案的能力尚未完全成熟，加上對處理客戶異議亦缺乏經驗，所以最後便順着穎怡的意願簽下了30萬港元的危疾保障。

但其實那時候一個專業的保險人應該灌輸一套全面的保險概念給她，清楚說明保險並不是一個「是否有買」的問題，而是一個「保障是否買得足夠」的問題。

經過穎怡這次經歷，我特意花大量時間重新鑽研保險整套的概念，不斷增強對不同產品的認識，務求強化我為客戶設計全方位方案的能力，我完全不能接受穎怡這樣的經歷再次出現在我的客戶身上。我可以確定，在理賠時，沒有一位客戶會說賠償額過高，但只會說過少。

穎怡康復後，她立即為她的丈夫及子女加購保險，分別購買保額150萬港元的危疾保障，及高端醫療，並將她自身的經歷分享給她的一位好朋友，而她的那位好朋友最後亦向我為她的家人加購危疾保險。而穎怡亦向我再加購一份投資相連人壽保單，值得高興的是，我以這份保單為她帶來了港幣6位數字的收益，相信這是我給她一份最好的禮物。

就是這樣，我在2020年6月連同其他客戶一共簽下了21張保單，並再次取得百萬圓桌的資格。

## 百萬圓桌之路並非一帆風順

當我入行不久的時候，我遇到一個難題 —— 就是賣不出儲蓄保險！客戶接二連三主動找我洽購儲蓄保險，但見面後竟然全部都沒有購買！那時候我在想，如果只是一兩個客戶有這樣情況，那原因可能是在個別客戶身上，但現實並不是這樣，那就說明問題肯定就是在我身上！那時候我在反覆思量究竟問題出現在哪裏，我亦跟 Eric 和 Apple 多次討論，但發現我們見客時是用同一套團隊承傳下來的產品說明方法，而他們的單是可以簽下來的，但我偏偏就是不可以。經過多個晚上的反覆思量，我問自己換轉我是客戶，有一位保險代理人這樣向我推介產品，我會否把這個儲蓄保險買下來？我的答案竟然是不會！於是我發現原來問題在於我自己本身都不相信儲蓄保險這個產品！

現在回想起來，客戶沒有成交其實是理所當然的，試想一想，就連我自己也不會購買我銷售的產品，試問客戶又會怎樣購買呢？另外，我亦發現我一直做的是 Product Selling，並不是 Concept Selling，那就是說我一直未能將產品的價值充分地揭露給客戶，當客戶看不到產品的價值時，自然沒有把產品買下的理由，所以順理成章最後沒有成交。

當我意識到這個問題的時候，我發現我不相信儲蓄保險的原因來自我對產品功能性的不了解，說穿了也就是對產品的認識不足夠，所以順理成章用了 Product Selling 的方向銷售。最後，隨着我重新深入熟讀儲蓄保險的功能性，然後清晰地向客戶闡述儲蓄保險的價值，儲蓄保險成為了我最常成交的保險類型。

其後，我亦發現一個很奇妙的現象，就是一名優秀的保險代理人幾乎肯定會為自己投保多份保單。隨着我在金融保險業不斷發展業務的同時，我不知不覺間多次為自己加購保單加強保障。現在，我為自己投保了一共八張保單，基本上囊括所有保險類型，包括一份人壽保險、兩份危疾多次賠償分紅保險、一份普通醫療保險、一份高端醫療保險、一份意外保險、一份儲蓄分紅保險、一份投資相連人壽險，而我認識的一位保險界前輩就為自己投保了一共 20 份保單，亦有另一位前輩為自己買下保額 1 億港元的人壽保單，為自己的家人及子女提供最徹底的保障。我想這現象，正正是我們作為保險代理人心底裏對保險這概念一份毋庸置疑的肯定。

## 結語

毋庸置疑，金融保險業的確是一個發展潛力非常龐大的行業，隨着人們的壽命越來越長，亦越來越富有，加上人口老化問題，保障理財需要非常殷切，再加上內地保險業市場急速發展，因此香港保險業發展非常蓬勃，保險代理人亦順理成章成為受惠的一群。的確，我很感恩我選擇加入了保險業，確切感受到這行業全面提升了我的個人成長、知識水平、溝通技巧、生活素質、思維格局及泛世界觀。

或許外界對保險業有着各種負面的觀感，這大概是保險業一直以來承受着的包袱，因此我希望藉着我作為一名保險代理人的第一身經歷，把在行業的點滴及心路歷程以最真摯的方式呈現給各位讀者，以排解行外人對保險業的誤解，同時亦希望為每一位在行業內奮鬥的保險代理人作一些鼓勵及分享，因為我們都是獻身於保險業的人。

最後，感謝我的忠實客戶群一直以來的支持及信任，沒有你們，便沒有今天的我。另外，亦感謝我的弟弟 Eric 及弟婦 Apple 讓我認識繼而加入保險業，我的確很感恩這行業帶給我的一切，而更享受我們一起工作、一起在這行業奮鬥的過程，更期待我們在保險事業上更創高峰。更重要的是，衷心感謝老闆 Billy 邀請我成為這本著作的主角之一，讓這本著作成為我的保險事業的一個里程碑，同時亦讓我把作為保險代理人的點滴沉澱下來，時刻提醒自己 —— 繼續振翅高飛，不斷成就更好的自己。

我們仨與老闆 Billy 的合照

## 驅魔第十四式

- 真誠是一種最好的姿態，是獲取客戶信任的最直接方法。

- 設身處地從客戶實際需要及長遠利益出發，為他們度身訂造全方位理財方案，並給客戶製造價值，讓他們獲利。

- 不斷提高生活質素，提升個人涵養及品味，是進入精英圈的不二法門。

- 終身學習，把自己當成一件商品，以工匠精神一輩子精心打磨，極致方休。

Kelvin Liu 廖鎮威

活在別人的影子下
倒不如為自己
活一次

# Nicolly Cheung 張施敏

- 2012 年英國薩里大學酒店管理榮譽畢業
- 2015 年創業，成為 CAFÉ 老闆
- 2019 年入職
- MDRT 2020
- 2020 年 7 月晉升為助理分區經理
- MDRT 2021

不知道大家在讀書的時候，有沒有想像過自己將來的生活呢？中學會考後（出賣年齡系列之會考＝現在的 DSE），因為成績未如理想，未能原校升讀預科，於是便報讀副學士課程，主修酒店管理，讀書時有一個學期需要到酒店做實習，我所選擇的是宴會部，工作的時候常常都會見到 Event Department 的同事穿著高跟鞋，不是帶著客人參觀場地，就是在宴會廳跟進細節。看著她們，心裡暗暗的都會憧憬著，希望有一天，那個會是我。於是大學畢業後我便投身了酒店業，在飲食部待過，也走過了行政部，最後終於在我夢寐以求的市場營業部「落地生根」。原本，我以為我會在酒店工作一輩子，但突然之間我遇到了一個很好的創業機會，而且還是我夢寐以求的，所以我想也沒想便辭退了酒店的工作。

酒店 sales & marketing 部門

## 創業

以前在澳洲藍山讀書時，學校附近
有一間很舒服的咖啡室，每次走進
去就會聞到一陣陣的咖啡味，而每
次入去我都可以待個兩三四小時，
再加上在學校培養出對烹飪的興趣，
所以慢慢地，經營咖啡室就成為了
我的一個夢想。

Crazy February 開張

實現夢想的過程絕不容易，因為我們租下的地方是一個剛入伙屋苑的
附近，店舖就只有四面石屎牆，所以我跟拍檔由店舖的裝修設計，到
採購都是我們一手一腳處理，過程雖然是辛苦，但現在回想起，也是
一個很好的回憶。

2015 年 6 月，咖啡室正式開幕，兩個 90 後女生開的 CAFÉ，很快就
在小區造成迴響，咖啡室的生意都愈來愈好，甚至有名氣如「有夢想
的小姐」，「澳門的孖生兄弟」差不多每個星期天都會來，還有「智慧

叔叔」都很喜愛在每天 5 時到 CAFÉ 坐一坐，有時在看看劇本，有時會跟朋友談談天。

## 完了吧。如無意外

生意愈來愈好，理應是一件開心事，不過突然有一天，我的右手動不了，就連拿枝筆的能力也沒有，醫生說是操勞過度令手腕韌帶受損，需要休息兩個星期。問題就來了，我們小本經營，店裡的分工就是我負責主廚位置，有時需要兼顧咖啡吧的位置，拍檔就負責甜品部和樓面的工作，星期六日或比較忙的時候，就會請家人來幫忙，簡單來說，我沒有可以休息的空間，再加上其實拍檔的身體慢慢地出現問題，所以我們最後都是決定把 CAFÉ 轉讓，雖然是心有不甘，但無奈身體確實再也撐不下去。

當了老闆兩年多，又做回了「打工仔」，做的是老本行 —— 酒店的市場營業部，重回了那種朝九晚五的生活（形容詞只供參考，不代表實際工時）。直到有一天，下班後身心都很累，在那條塞到不行的軒尼詩道，耳機裡播著一首又一首的歌，腦海突然浮現了一個問題「我以後都要一直在酒店業發展嗎？」。我猶豫了很久，因為我打從心裡知道，我不想但我也好像無路可退，以前創業都是自己熟悉的餐飲業，屬於自己的知識範圍以內，在同一個行業待了 10 年，一個不是很長但也絕對不短的時間，那一個感覺就是除了酒店跟餐飲的運作，我好像什麼都不懂。

# 轉捩點

機緣巧合下，認識了現在的上司 Kenny Tang，在他介紹我入行以前其實自己對保險也不太抗拒，大概是因為從小身體就不好，經常出入醫院，睡過公立醫院的走廊，也嘗過他們的失誤，所以當 Kenny 跟我説完行業前景和發展方向後，很快便萌生了轉行的念頭。但貿然轉，而且還是從未接觸過的金融業，身邊少不免有反對的聲音，原因也離不開行業和「怕」沒有生存空間，明明做酒店穩穩定定不是很好嘛等等。當然，自己也有掙扎過不少，畢竟人生也快踏入另一個 10 年了，當初一起畢業的同學們都升職加薪，我在這個時間才投入另一個全新行業，我拿得出那份重新開始的勇氣嗎？ 最終令我放手一搏的原因，是那份躲在內心深處的不甘心：我不甘心我第一次創業那麼快便結束，也不甘心做一個刻板工作模式的打工仔，然後又想著當初創業的原因除了是夢想，還有因為不想受制於模式之下，所以我給了自己多一次機會，正式離開了那個待了 10 年的行業。

加入了 ALLSTAR 以後，花了不少時間重新適應與學習，幸好的是團隊會為新同事設立一套培訓計劃，所以很快便能建立信心，亦開始慢慢的上了軌道。由初初每一次見客都需要經理們陪伴，然後慢慢地可以自己一人處理見客上的問題，每一步都是一個成長。剛入行的第一年，除了簽單以外，我相信我處理得比較多的是客戶賠償的個案，數千元的意外個案到二十多萬的良性腫瘤切除個案，每當賠償的支票送到客人手上，他們都會一一道謝，慢慢地，我找到了這個行業的意義和樂趣。2019 年 12 月，入行後的第 12 個月，在跌跌撞撞的情況下，我完成了 MDRT 的業績要求，亦有幸於數個月後晉升成為 ALLSTAR 區的助理分區經理，建立自己團隊。

## 亦戰亦友

網上流傳過一張圖片，説明了「LEADER」和「BOSS」的分別，而以前於酒店工作的時候，兩種上司我都有遇過，所以我深深明白到與團隊一起工作的重要性。所以與其説我是「招募」下屬，倒不如説我是「尋找」一起工作的戰友；辦公時間我們會一起討論見客遇到的問題，午飯時間我們會説説最近有什麼劇集值得去追，或者是飯後去逛逛街，然後

忘記了回公司；她們亦很了解我的生活習慣，知道我是在過「老人家生活」，比較早休息，如果需要晚上見客或者是要處理其他與工作有關的事情，她們會事先通知我，好讓我作安排。這個就是我和我的同事們相處的模式。

的而且確，由一個穩定的行業到一個不熟悉的行業，需要很大的勇氣，但是人嘛，總不能一成不變，如果你也不想活於別人的影子下，不如也給自己一個轉變的機會，活出一個令自己無悔的人生。

Nicolly Cheung 張施敏

## 驅魔第十五式

- 或許就是需要那點遺憾,才能創出另一
  片天

- 任何值得去做的事都不會容易,而且還
  需要很大勇氣去開始

- 迷失方向時不要跟隨別人的步伐,靜下
  來便能找回屬於自己的道路

Nicolly Cheung 張施敏

開心 有業績 高效率
Work Life Balance 的秘密

# Dickie Chan 陳兆銘

University of Manchester
International Business, Finance & Economics

- 2016 年任職銀行業務經理
- 2017 年轉行成為空中服務員
- 2020 年成為財務策劃顧問
- 2020 年 MDRT 百萬圓桌會員 2021
- 2020 年保協傑出新星獎銀獎
- 2020 年 ALLSTAR 最佳新人獎

過去的我，熱愛運動和遊戲，可是當談到讀書成績，卻不是十分亮麗。但父母卻讓我選擇自己的興趣，也讓我從中四起到英國升學。所以我一直有個想法，就是將來可以有一份人工高，福利好，晉升階梯完善的工作，足夠去照顧兩老，也能養妻活兒，買車買樓。我想每個人在不同的階段，也曾經有過同樣的想法，可是當踏進社會，經歷了大大小小的磨練後，會說這是個天馬行空的想法。但由於當時年紀尚輕，對於未來充滿希望，所以心中的一團火沒有熄滅。

讀大學的時候，我不但要兼顧學業和課外活動，還有體驗了不少工作，以賺取額外的生活費。當中比較深刻的兩份工作是擔任中餐館店員和冷氣技工，從下單到出菜，到水吧和清潔的工作，只有兩個人負責。建造業的工作屬體力勞動性質，有時更會日曬雨淋。這些經歷讓我明白到知識比努力更為重要。

可是，在 2015 年，我卻因一次意外，差點耽誤了學業。當時我才剛剛完成了大學二年級的課程，在暑假和舊同學踢足球時，太過「搏命」和

朋友「炒芥蘭」，我跌倒在地上時也心知不妙，因為我完全站不起來！當我被送上救護車的時候，救護員還跟我說不用擔心，運動扭傷是十分常見的。但照了 X 光後，我的右腳脛骨完全斷開了。那一刻在腦海中浮現的問題，也許這一輩子都不會忘記。以後還可以走路嗎？會不會有長短腳？是不是以後都不能再做運動了？打電話通知家人後也相當害怕會受到責備。

當時在公立醫院的治療方法有兩種：

1. 打石膏 —— 不保證骨頭會完全癒合，但不用開刀。
2. 傳統手術 —— 可以清楚看到骨折處並且接駁好，但是傷口較大（約 20 厘米），對神經系統的傷害比較大，也有感染細菌的風險。

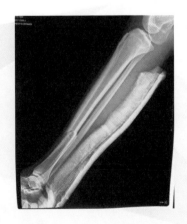 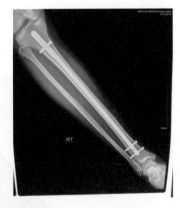

我萬萬也沒有想到沒有一個良好的治療方案時，我會是如此無助。

幸運的是，原來家人一直有為我購買醫療保險。得到骨科醫生的專業建議後，我在私家醫院進行了微創骨折手術，它的傷口只是傳統開放性手術的四分之一，癒合時間大為縮短，發生感染的風險也大為降低，而骨折癒合的速度亦比傳統手術快一半。經歷骨折意外，我明白到健康不是必然，坐在輪椅上的時候，簡單的動作也變得複雜，每星期更要家人帶我到診所覆診和做物理治療。但幸運的是，因為有了醫療保險，我可以選擇比較先進的手術，也不需要擔心要支付高昂的醫療費用。配合 6 星期的物理治療，我順利地回到英國修讀最後一年的大學課程。

從英國畢業返回香港後，我渴望從事與大學主修科目相關的金融行業，亦喜歡互動機會較多的工種，所以我在財務策劃顧問和銀行業務經理之間作抉擇。雖然兩者的工作性質看似相似，其實它們在工作時間、客戶來源和薪酬制度等方面截然不同。作為應屆畢業生，我經常覺得自己欠缺工作經驗、對事物的認識並不足夠，故難以建立自己的客戶群，因此我亦打消了成為財務策劃顧問的念頭，選擇從事銀行業。經過一系列的培訓和牌照考試，我在銀行分行開始了銀行經理的業務，我不但要面對業績上的要求、工作時間缺乏彈性的問題，有時候每週大會完結後已是晚上 8 時，努力和收穫不成正比。

我有一位朋友知道我嚮往工作與生活之間的平衡，他有一個從事航空業的朋友，非常享受空中服務員的工作，更可以常常飛到不同的國家觀光，他建議我嘗試一下。經過一些資料蒐集後，我發現當空中服務員的福利也挺吸引，包括：公司提供的醫療保險、每年 21 天的有薪假期，

以及優惠機票。那時我心想：趁年輕時，我用兩三年到不同國家增廣見聞也是不錯的選擇。

成為了空中服務員的第 2 年，我已遊歷過多於 30 個城市，且結識了一群知心好友。雖然我仍熱衷於飛行，但是航空業的收入並不穩定。再加上我希望擁有自己人生中的第一輛車，我開始透過增加自己的飛行時數，以賺取更多收入。然而，短期的收入升幅並不能解決行業固有的特性 —— 晉升階梯長。一般而言，從空中服務員升遷到機艙事務長，需時約 8 至 10 年；成為表現最優秀的 top 5% 員工，最少需要 5 年才能獲得優先面試。這驅使了我再次思考究竟空中服務員是否一份可以做到退休的工作，亦同時成為了我加入金融保險業的契機。

## ALLSTAR

經過介紹下，我認識了 ALLSTAR 的老闆 Billy。雖然那時我面試了入境事務主任和海關督察的職位，但 Billy 對金融保險業的前瞻性，給予了我很大信心。當中包括：人口老化問題帶來龐大退休策劃和醫療保障需求，在現今社會，越來越多人亦逐漸明白保險和理財產品的用途等等。

而且，他帶領的團隊有三大方針：開心、有成績、高效率。

取錄自《0-100：用兩年建立 100 人團隊》

## 1. 開心

為什麼開心放在第一位呢？人生做大部分事情都是希望能令自己及身邊的人得到開心快樂。要知道我們賺錢的動力乃源於快樂，希望可以過豐盛的生活，照顧家庭，供養父母，讓自己或家人過得更愉快。可見金錢本身並非最重要，而是透過金錢能換取的事情。所以開心是我們團隊的首要目標，我相信同事們做得開心，把公司及團隊當成自己的家，當工作融入生活，工作會做得更為出色。

## 2. 有成績

在這個行業做出成績基本上便等於能賺到錢。但為什麼我不是說能賺到錢是其中一個方針而是用有成績呢？因為現在我們這一代，很多來

自小康甚至乎是富裕的家庭。他們從沒有為錢而煩惱,所以在工作上取得成績反而更能令他們獲得成功感。

### 3. 高效率

開心和有成績其實已經很足夠,為何還要有效率地去完成一件事呢?因為我們每一天都是和時間競賽。尤其是在香港這個爭分奪秒的都市。同一件事,你可以用十年、一年或一個月完成。越早完成自己應該做的事,便越早能開始做自己想做的事。

我們團隊每個決定,甚至我們的團隊文化,基本上都是圍繞這三個方針。相信只要做到這三點,任何團隊的決定都處於正確的軌道上。

我感受到 ALLSTAR 是一個充滿活力和快樂的團隊,而且團隊有一個完善的培訓系統,只要投放足夠的時間和專注,也可以成功。

## 身教

我要感謝我的直屬上司 Thomas,他帶我認識 ALLSTAR。在我正式入職前,他已常常抽空教導我理財投資概念及產品知識,令我的知識層面更廣闊及專業,很快便開拓了自己的業務。

Thomas 十分照顧下屬,凡事親力親為,他為團隊花了很多心思,經常舉辦許多

不同的活動，例如：狼人殺、毅行者和啤王大賽，他為團隊無私的付出，令我們如同戰友般一樣。

## 迴轉壽司

作為一個新人，總會遇到不同的困難。相信大部分曾經有銷售經驗的人，都為「客從何來」的問題苦惱過，我也不例外。我的 MTP（Management Trainee Program）coach Kenny 在美國畢業後來到金融保險業發展，在客戶維繫上有着豐富的經驗。當時他也察覺到我的苦惱，他與我分享了一個很有趣的方法：如何運用迴轉壽司的概念來營運  生意。在迴轉壽司店時，大部分人都會先拿自己最喜歡的幾碟壽司吃，喝一口茶，直到自己吃飽為止。迴轉壽司的概念可以套用到生意上，我們會遇到準備好購買的客人、正在了解的客人、完全不認識保險理財的客人。以上的巧妙之處是我們要按照不同客人的實際需要，給予他們適當的建議，以滿足客戶的需求。

當中的例子便是我的家人，我為他們分析了現有的保障。我發現他們已購買的醫療保障非常少，他們卻抱着一個「買了就足夠」的想法。隨著醫療科技不斷進步、醫療通脹不斷上升，舊有的醫療保障經已過時，一

些新的治療方法也未必納入受保範圍內。再者，大部分人持有的保險性質屬消耗性，他們對保費升幅覺得吃力。最後我為他們更新了醫療保險：從舊式醫療更新到高端醫療，並為他們的人壽及危疾保障作更好的安排；保費比之前相宜，他們亦可以有剩餘資金作退休儲備用途。其實，當我接觸不同家庭時，我都發覺大部分人都是面對以上提及的問題，買了保險卻沒有足夠保障、沒有退休儲蓄規劃。

## 總言

成功需要配合天時地利人和，沒有經歷過不同行業的辛酸，也許我不會明白金融保險業為可長遠發展的一行。自身經歷也成為了入行其中一個最大的推動力。感謝家人、親戚和朋友對我的信任，MDRT 算是一個做得比較好的認可，亦成就了我購買第一輛車的目標。我希望將來把理財的概念帶到不同人的身上，希望讀者看完後也能找到共鳴。

Dickie Chan 陳兆銘

## 驅魔第十六式

- 不忘初衷 —— 提醒自己作出決定和改變的原因
- 活在當下，定時檢視自己的時間規劃
- 以平常心去面對結果，坦然接受自己無法控制的因素

Dickie Chan 陳兆銘

向自己不熟悉的領域**學習**

# Issac Lee 李家碩

- 美國加州大學電子工程系
- University of California, San Diego (B.S.E.E)
- 保協 2020「傑出新星獎」- 金獎
- 百萬圓桌會會員 2021
- MDRT 2021

## 踏出第一步，看到不一樣的風景

畢業於美國電子工程系，對一般人而言，工作時間和收入穩定，是一種幸福。在美國工作的時候，每天上班時間由上午九時到下午六時，工作範疇多以研發新產品和與跨工程部門和管理人員去討論產品細節開發進度，更會不時到美國、中國和香港的廠房協調樣板和生產細節等程序，有時也要和銷售經理們溝通直接解答客戶的疑難，這能把事情變得有效率。

驟聽起來，好像比朝九晚五的上班族多點樂趣，但較為居無定所，留在酒店的時間也較長。當有天發現生活變成公式化，日常變成無趣，停下來會再想，年齡開始漸長，家人居在香港，總是在想能多花點時間陪在他們身邊，追尋一個安穩的感覺。有人說三十而立，但對我來說只是一種說法，並沒有任何規範，只要你想隨時也可乘風破浪，走出屬於自己的步調。

仍記得當初回流香港時，也是慣性地找回相關的工作為主，曾嘗試私人和政府等機構，但感覺總是格格不入，可能水土不服或是等待另一機遇到來。

在此期間，我開始找尋不同的行業發展，期盼能在 30 歲的時候，重拾生活的節奏。在機緣巧合下，與現在直屬上司 Billy 相約，其實私底下認識他已多年，一直知道他在保險行業成績非常優秀，累積多年工作經驗的他，在人脈網絡上十分廣闊。

在我記憶當中，從前的 Billy 是較為看重於投資方面，在交談期間，發現他對保險、醫療和健康保健等也有深層次的了解，由生活細節到身體上的大毛病也可提供專業的意見和轉介服務。 他的生意經營概念和模式，很有創意和與時並進，同時保持著高質素，對看待每一件事情也精益求精，力臻完美。

與 Billy 會面後，回家慎重地想，當然也有初步認知，最後決定在這陌生軌道上闖一番事業，所以大膽地到他的辦公室進行一個正式的面試，

那天穿了一件 Polo Shirt，對比以往的工作穿著，也是 T 恤牛仔褲，沒特別要求。當我到達的的時候，男和女也是需正裝上班，感覺較端莊和對工作的認真對待。

當我看見辦公室的維多利亞港景色，配搭內部裝修設計的華麗，跟我以往的工作環境截然不同，心內想：「自己是外行人，也是新鮮人，對這行業前景有信心但認知有限，從前也沒有投資經驗，連保險和股票也沒認真研究，好像只是對公司的團體醫療保險，例如看門診醫生的金額和網絡覆蓋才會主動了解，那會有什麼保險的概念？」幸好，公司會提供不同的課堂種類，講解不同產品和最新的市場資訊，也有很多工作已 10 年多的經理們協力支援，有助我在股票、醫療理賠和客戶溝通等技巧等方面長知識，擴闊自己的視野和全面掌握行業的發展和趨勢。

除了工作的專業培訓外，公司也十分著重團體精神，在疫情期間，不時發起義工活動於深水埗地區派發口罩給有需要的人士，以應援當時之需，與市民攜手抗疫。

除此之外，公司也有專為大學畢業生而設的培訓，課程包括見客技巧、產品資訊和法規等，也有我們的分區經理們編製的課程，他們會分享客人的個案，特別是會邀請不同嘉賓到訪作簡介，如專科醫生、醫護人員和基金經理等。這也是我這麼多年也從沒接觸的新事物，漸漸發覺只要你選擇踏出第一步，人生的道路永遠也不會遲。

## 從理論到實踐：
## 按部就班的思維解決客戶所需的問題

坦白説，剛進入這行業，對比起同期同事，人脈也不是特別廣闊，最初也是從家人和朋友去講解，卻發現他們的保障和投資意識很薄弱，大概可歸類為三大類：

1. 有保險無保障：
因很多時候十多年前買下的已經不合時宜，會變成保障額不足、條款過時。

2. 不懂投資：
比如説只放定期存款利率過低，通貨膨脹也追不上，如果用其他貨幣，如澳元和人民幣等會一定有匯率風險，有些客戶會購買收息股票，但往往波動性較大和風險較高甚至乎虧損。

3. 完全沒有保險概念：
很多時候與客戶溝通後，發現他們可能只有一份舊式的人壽或儲蓄保障，更要供到 100 歲，雖然有些不至於沒有儲蓄，但都要花數十萬做

一個手術，很多時候也會選擇等候公立醫院，導致耽誤最佳的治療時間，影響復原的進度。

另外，以前曾合作的夥伴，大多數是一些廠長或公司老闆，同時也包括香港的註冊公司，雖然他們明白到香港及內地保險有別和現金是沒有利息收益，但透過一連串在這裡學有所成的心得，也能令他們更了解香港環球投資的優勝之處和重要性。

在此，衷心感謝一直支持的客戶，令大家做到一個 win-win solution，透過經理們的培訓和對答操練，由從前只會對電腦和零件溝通的我，更加實實在在地去了解客戶的需求，擺脫一如以往的工作機械模式，轉變成更詳細和貼地的分析，繼而再提供解決方案，設身處地為客人分析生活細節上帶來對自身和家人的風險評估和退休規劃，從而享受

財務自由，客人便可以盡情的做他們想做的事情，這點正正是現今我
為大部分客戶提供的服務。

不知是不是叫作不幸中的大幸，聽說舊公司有些同事因為疫情被停薪
留職，不只在這個行業，有很多行業也被裁員和停薪留職，如你現階
段還沒到結婚、供養小孩和當樓奴的問題，但如果到 50 歲的時候的你，
收入達到較高點，可能被裁員的目標是你，那時候還有機會找一份比
之前更好的工作嗎？加入保險行業，只要你喜歡的就能工作到 90 歲，
是沒有被裁的危機，當然也是多勞多得，在我們這行業能有效率和快
速地讓你懂得如何規劃退休生活。

## 驅魔第十七式

- 成功，視乎你能否跳出 Comfort Zone
- 只要肯努力，沒有「不可能」這三個字
- 把複雜事情簡單化，以效率取勝

Issac Lee 李家碩

# 融入生活

把陌生客戶變成
# 我的好友

# Apple Lau 劉燕萍

- 前日本航空空姐
- Million Dollar Round Table [MDRT]
  2019，2020，2021
- International Dragon Award [IDA]
  2019，2020，2021
- International Quality Award[IQA]
  Sliver 2020

# 世界上所有的驚喜和好運，
# 都是你積累的人品和善良

## 卸下美麗的制服

入行前我的職業是一名空姐，當任空姐的那段日子確實很開心，可以
到處遊歷，增廣見聞。工作性質也很自由，幾乎沒有壓力的。當然也
會有不好的地方，像是不能適應時差的日子，熬夜睡不著覺，工作有

時也很辛勞。但是，那畢竟是大多數女孩的夢想工作，穿著漂亮的
制服，拉著行李箱，享受到處飛的職業生活。

我也很喜歡這份工作，但最後還是選擇落地，選擇在另一個地方重新
起飛。落地最大的原因是——心裡總感覺不能飛到老吧！若是有了家
庭，有了孩子，那或多或少還是想把重心放在家庭健康上。加上事實
我年紀也不小，是要好好為未來作打算。

## 入行經過

入行經過大部分是因為我的伯樂經理 Eric 推動的。透過職前講座、面談，
深入了解這個行業。抱著能夠幫到人，而且又能多勞多得的心態入行。
休假的日子，一口氣把基本保險牌、強積金牌、投資牌都報考了。再
取到專業資格後才入行的，想說都考慮那麼長時間了，也總得做好準
備吧。

## 性格慢熱，朋友不多

入行第一年大概是最辛苦的，還是新人的我一邊上課學產品、學銷售。
因為自己性格比較慢熱的關係，所以朋友也不多。況且在任空姐的那
兩年，我也與很多朋友少了見面。加入保險這行業後，它給予我彈性
的時間，令我與很多朋友重新聚在了一起。同一時間，我也會在臉書、
IG 等電子媒體發佈一些關於保險資訊內容和我個人生活的照片，從而
讓更多陌生的朋友可以透過這個平台認識我。

## 開啟與陌生朋友的「保險對話框」

如臉書動態，有時候很多朋友會分享生活點滴，我會藉此關心他們的現況，並透過臉書訊息表達關心及慰問，從中維持與他們的溫度。在彼此了解近況時，他們有時就會主動詢問保險理財的相關問題。我也相信只要站在對方的角度，定時關心和提供有用的資訊。在客戶朋友們需要的時候出現，並為他們解決問題，我想他們也能感受到我的誠意。

我以真誠對待每一位，讓他們喜歡我，信任我，所以當他們有需要幫助的時候就會第一時間想到我。比起財富管理，我也像是他們的生活管家。偶爾也幫他們處理瑣碎事情，但我不厭煩，因為我相信用真誠對人，好事自然發生。

## 陌生客戶的接洽

我覺得我最大的賣點是透過網路媒介認識了許多陌生的客戶，而我最感到滿足感的是他們漸漸成為了我的朋友。或許你們都會覺得奇怪，我既慢熱話也不多，怎麼能跟陌生人交成朋友呢？我覺得這個秘密是——用心聆聽。新朋友都喜歡和我呆在一起，跟我談心，聽我在這行業的趣事，每次會面都能交談甚歡，忘了時日。也許很多人會怕見陌生人，但我總抱著對方應該也會是一位很好相處的人。也許這就是吸引力法則，我遇到大多的客戶都對我十分友好。

# 從陌生人變成我好友

透過臉書，認識了趙先生，他是在一間會計師事務所工作的。一開始他只是透過訊息問關於強積金的疑問，我亦耐心解答了一些他提出的問題。殊不知過了一個月後，他聯繫上我説想要一份僱主強積金計劃，我就協助他開設戶口。幾次會面後發現大家都很談得來，他也表示很信任我，覺得我個人很真誠。之後也簽下了其他保障型保單。往後的那些日子我也偶爾去他的公司探望他，有時一談便是三四個小時，有著源源不盡的話題。我們兩個都在互相學習，互相進步，也總能在對方身上得到啟發。

他也表示感到驚喜，在清理信件時收到我寫的聖誕卡，一開始他遲疑了一下，問我會不會做多了。但我跟他解説，也許很多客戶簽完保單後就很少見面

了，我要在特別的日子裡刷存在，讓他們知道我依然守護著他們的保單。況且一年也是一次，這點時間當然值得為他們花。他也漸漸明白了我的用意，願他期待下年我寄給他的聖誕卡。

## 保持客戶溫度

在做保險的三年間，我每年都會手寫聖誕卡並寄給我的客戶，希望在這個美麗的節日，他們都能收到來自我的祝福。可能有些人會覺得我多此一舉，現在資訊發達時代，手機也能隨時發送任何文字訊息。但是香港人各有各的忙碌，是很難抽時間和我們經常見面。電子途徑問候總是顯得較隨意。我只想給我的客戶表達暖意以及讓他知道還有我這位窩

心的業務員在他身後。而每年手寫聖誕卡亦成為我的習慣。偶爾我在某地方看到喜歡的小物件，我都會買給客戶，用抱著她應該會喜歡的心態，就直接買下贈送，看到客戶收到後臉上的笑容我就非常滿足了。每逢中秋佳節，我也會挑選特選客戶送上月餅，聊表心意。送月餅對我來說是比較吃力的，遊走不同地方送月餅也是很累呢。還是那句，客戶若收到時感到開心，那我也會覺得一切都值得。

## AI 時代來臨

面對 AI 時代來臨，我認為人與人之間有溫度的感情，是很難被取代。在知識容易取得的情況下，作為一個專業的保險從業員，不僅要站在

客戶角度出發，更要融入自己的見解與判斷，才能讓自己所吸收的新知識更有價值，同時可貼近客戶的需求，做出更適合的方案給客戶。而且透過親身接觸面談，更容易取得客戶的信任和信心。加上貼心的售後服務，我們是不可能被機器人取代的！

## 行業價值

我最記得有一次幫客戶索償，在拿著支票遞給我的客戶的時候，他一句發至內心的感謝，令我剎時感動。我想，這就是我的價值，這行業帶給客戶的價值。保險行業之前總給人一種負面的感覺，大多數是騙人怎麼的。事實上，近幾年大家都意識到保險的重要性。也不乏主動找我了解保障的陌生客戶朋友，謝謝你們給予的信任。因為客戶的信賴與支持，我連續 3 年也拿到了 MDRT 殊榮。這對我來說是相當大的鼓舞，也是一種肯定。

## 結語：

### 以誠感人者，人亦誠而應。

只要用真誠對人，你的客戶朋友都一定能感受到。我也曾以為做保險從業員需要八面玲瓏，口才了得。但我卻因為有一顆真誠待客的心，也能做得如此的好。我始終相信我們不是賣保險，而是在賣自己。每一次的成交就是人品的變現。

## 驅魔第十八式

- 用真誠對人，好事自然會發生
- 保持客戶溫度
- 每一次的成交就是人品的變現

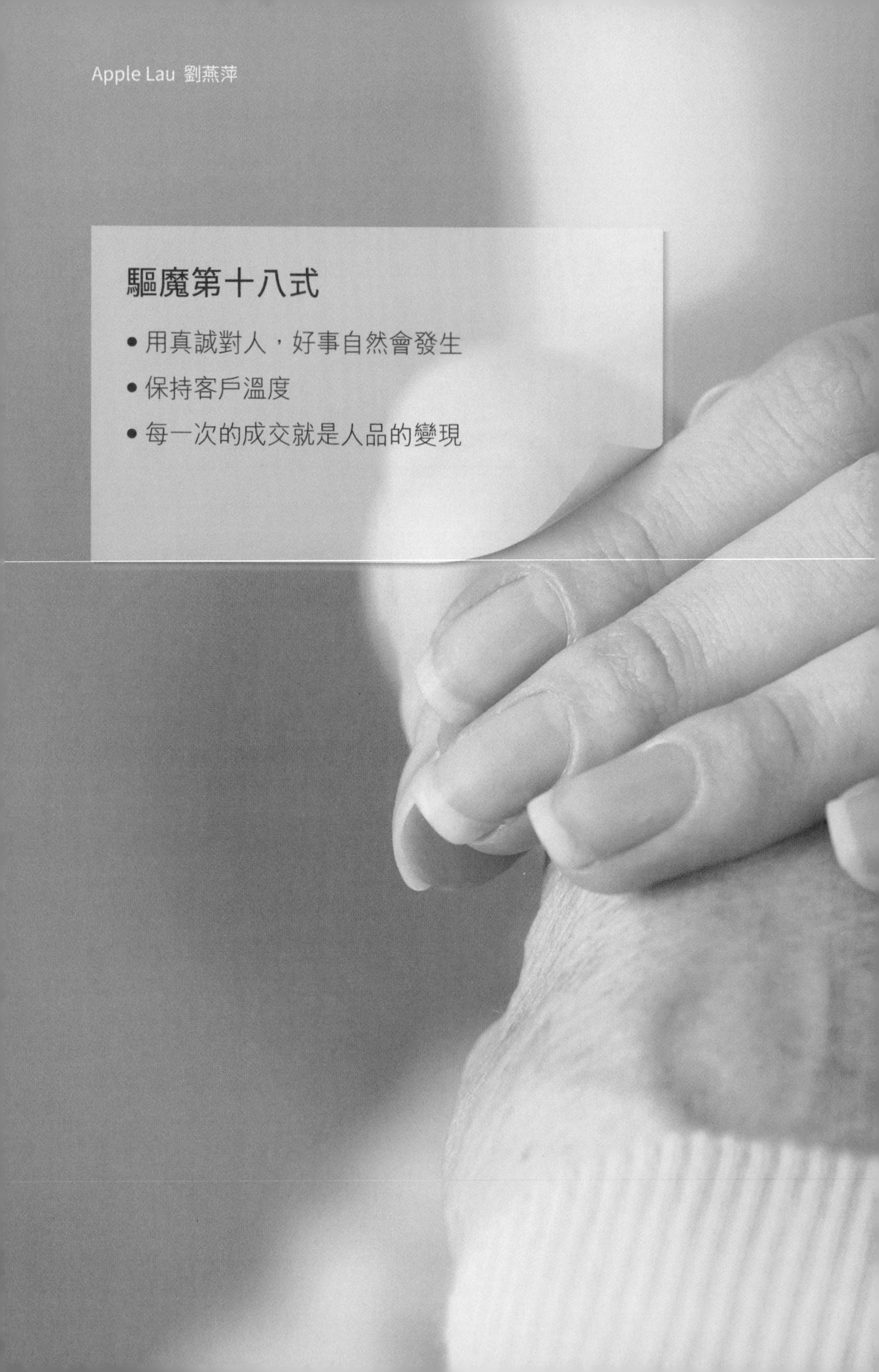

Apple Lau　劉燕萍

You're not ordinary!

你絕不平凡

# Elvis Cheung 張浚豐

- 香港城市大學市場學系榮譽學位畢業
- 埃孚歐學院法商專業
- 韓國國技院黑帶四段國際師範
- 前香港跆拳道代表隊
- 2018 First Challenge Award
- 2018 Raising Star Award
- 2018 Super Nova Award
- 2019 小龍會 100% 資格
- 2019 My 1st MDRT Award
- MDRT 2020
- 2020 年晉升為助理分區經理
- MDRT 2021
- 2021 年晉升為分區經理

## 入行背景

時間，是我們存在的唯一證明。有些人安於平凡，有些人殞於燦爛。我不敢說我是後者，但絕不會是前者。我是張浚豐 Elvis，香港城市大學市場學系畢業，曾於證券期貨經紀商工作，現加入保險業界 3 年。另研修跆拳道超過 12 年，教授跆拳道超過 8 年，曾代表香港隊出賽，現為國技院黑帶四段國際師範。

記得剛大學畢業時，有些同學已找到實習工作，有些則對前路感到迷惘惆悵。我，並不屬於兩者，當時已經教授跆拳道超過4年，從任教一般本地道場，已升任負責國際學校及私人會所。一星期只需周末工作兩天，但收入比當時剛畢業的大學生入息都要高得多。很自然，收入不是我的第一考量，但亦無法接受自己一星期浪費五天。於是，兩種想法萌生，是該以收入為前提多找一份薪水不俗的工作，還是利用現有收入支撐自己去發展一份感興趣的事業呢？毅然選擇後者的我進入了一家證券期貨經紀商工作，雖然負責的崗位偏向中後勤，每天整理市場資訊、製作報表、製作公眾訂閱資訊、統籌本地及海外投資會議及講座，但卻打開了我感興趣的投資世界。身邊充斥著很多前線同事，大部分都在行業裡打滾了很多年，聽他們分析金融經濟的確令人津津樂道，而我告訴自己，多下些苦功，多虛心學習，自己也能做得到。

然而，人生的轉捩點出現了。學懂了很多投資知識，深入了解到全球的經濟市場，但亦看見了行業很多不為人知的一面，作為一家投資公司，很多時不是以客戶資產增值為先，而是較為利己地在市場及客戶之間

盡收漁利，這種營運理念真的未必合適我的想法。2018 年，我離開了，正式加入了保險業。過去兩年，很多比較新的同事都感覺我在行業裡發展得很輕鬆，接連達成百萬圓桌、獲獎加許、升任經理、發展團隊，各方面都很妥當。其實，哪裡會有人一踏足行業就注定成功，大家看見我現在的輕鬆，都是花了很大的努力及苦功才成就了今天的自己。

## 初生之犢，克服心魔

記得剛加入 ALLSTAR 的時候，由第一天入職，每天都是從早到晚的培訓。早上一節，下午一節，日日如是，又經常被一些前輩們叫上一起做 Drill。那時候感覺老是被刁難，現在想起卻是難能可貴的一場鍛鍊。當時我們區的一名 TOT 前輩 Joyce 一看見我就把我抓去演練，不管是產品、保險條款、理賠條件、基金章程、千百種奇難雜症，甚或乎一

些稀奇古怪的角色扮演，以上難題又怎麼會是一個入行新人能輕鬆應對，結果大家可想而知，就是天天被問到「口啞啞」。説實話，是挺打擊自信的，甚至對自己能力產生懷疑，感覺丟人現眼；但不想難堪下去，也只能強迫自己進步，不被同樣的問題難倒兩次，也算是給自己未來可能會遇到的難題先找答案。不斷的提升不僅增加了自身的底氣、頭腦轉數也變得更快、口齒亦更伶俐。到現在，還是很感激在入行時候有這麼嚴格的 Joyce 一路鞭策。

作為新人，很多時都不知道如何向身邊人開口提及保險和投資。縱使篤信兩者都是能幫助別人的必需品，但作為受眾的對方卻未必如此認為地領情，因此開口前還是會卻步，擔心被誤會、害怕被拒絕。和一些同事提及後被疏遠，只要確信保險的作用和意義，問心無愧擁有一顆熱誠助人的赤子之心去為對方切身考慮、規劃未來的人生目標、健康保障、資產配置就足夠了，不必把得失看得太重。慢慢我就發現自己甚少會跟客戶提及產品，不知道是不是從事教育工作多年，我對身邊人提及保險時更像是在教育，令對方明白規劃未來的意義和重要性。我從不會對對方給予任何壓力，有緣份的，我保證為對方計劃到最好；被拒絕的，也只是緣份未到。畢竟人生還是需要多些經歷和沉澱方能感悟更多，這一刻對方的不需要不代表未來的不需要。早些留下一顆種子，待風霜歲月去灌溉，總有一天會開花結果。即使最初可能會對我有幾分顧慮，但當對方清楚知道我的為人處事、言行一致，很多朋友都願意打開大門，杯前從不利益掛嘴邊。誰説「保險斷六親？」，入行後我朋友更多，人緣更廣。

不管行內行外，相信最多人擔心的就是客從何來的問題。對此，我是很感激我的直屬上司 Kenny，從入行開始，他給予我的更多是關心而不是壓力，是因為他在我身上看得出一些特質，相信我能做到。比起上司和下屬這段關係，我們更像是戰友——老兵與新兵，他會一路提點一路守護，希望我能成就更好的自己。而客源的問題，他會定時定候和我更新我的客戶名單，鼓勵我多走出去認識新朋友，讓我改變自己的陋習，要我從根源改善自身的為人處事態度。而最重要的，他盡他所能去給我們找合作資源，不管是醫療合作、旅遊合作、銀行合作，還是策劃種種活動給我們找客源。每次我們做 cold call 生意，都能看見他的身影，從一大早開鋪，到晚上善後收鋪，都與我們同在。當然，機遇是製造了，但也需要你的堅毅和勇氣，才不會錯失每個機會。

## 放遠眼光，更大抱負

很多人都知道保險是一門累積的事業，這也是一直吸引著我的發光點。不光是客人的資產和保障越積越多，我們的收入與人脈也是越積越廣，以成為大家常常掛在口中的「儲客」。聽過一個分享會，一位老前輩在行業裡打拼了將近二十個年頭才達成了人生的第一個 MDRT，他的堅持與毅力固然可貴，但若然你問我想不想成為他，答案是否定的。從入行初期，我就深深明白到保險是先苦後甜的事業，發展路上就如同一條跑道，慢跑雖然也能完成，但也要經歷漫長的苦痛；如果要跑得快、跑得遠，盡早收成的話，就必須衝刺著去跑，去贏下場上的呼聲和取得更多資源邁向成功。

2019 年，我和我們區的區域總監 Billy 結成了 MDRT BUDDY，與其說互相鼓勵雙雙成為 MDRT，事實上是給了我很多機會跟 Billy 交流取經，作為行業中其一最年輕最早成功的區域總監，在他身上學習了他的世界觀和他多年來如何鋪排在行業內的發展方式。每次和他見面，總是孜孜不倦的告訴我該如何提升自己，如何在工作上取得突破及如何解決團隊問題等等。保險行業就是如此有意思，我遇見的前輩們，從來都不是把自己的能力藏起來生怕被你學會一樣，而是反過來擔心我能學會的不夠多，他們的確很「長氣」，但這不就是他們關心你事業發展的表達方式嗎？再說，要不是這些不厭其煩的提醒，現在的我們又豈能把事情牢牢記於心。

打從那時候開始，不管在別人眼中自己做得多好，我都知道自己還有

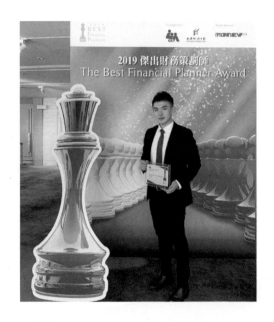

很多很多需要改善、必須進步的地方，現在不解決的問題，將來也會自食其果。我讓自己變得好學，去找不同的課程來報讀，去考取不同的專業資格。不只是為了能更妥善給客人作出規劃、贏得互信與尊重，也為了證明自己的能力，讓人生不枉過。千萬不要對自己短暫的成功而過份自滿，否則人是很容易故步自封、劃地為牢，這就是很多同業衝刺後卻無以為繼的表現。有時我們的確會仰望前輩們的成就，但羅馬不是一天建成，他們是怎樣打破種種紀錄、同時又是怎樣解決無數困難；思維是要有多高瞻遠矚，才能做到我們想都沒想過的事情？所以我們必須學會 THINK BIG，絕不能墨守成規，學習別人的成功之道，同時也要給自己定下足夠遠大的目標，簡單來說，就是變得更有追求，追求卓越，追求更好的自己。

## Chill 住做 MDRT

這是一個很有趣的事情,也確實是我其中一個目標。在很多同事眼中,我是較輕易達到 MDRT 的那位,明顯他們未必知道過去我的付出。若然要我來回應這實情,我會說「輕鬆是輕鬆,但還沒達到我所期望的輕鬆」。既然眾所周知保險是一門累積的事業,我所形容的輕鬆也只不過是摘下昔日栽種之果而已,但並不代表著我只滿足於此,畢竟 MDRT 之後,還有各式各樣值得去追求的目標和殊榮。

從 2019 年開始,我投放了很多時間和資源在客戶維繫和人脈上面,不光是好好經營香港本土市場,也逐漸將生意伸延至國內市場。一如以往,我並沒有將生意放在前頭,而是相信人之間的緣份,能認識到形形色色的朋友都是因為發自內心去結交這關係。能一起交流、一起活動、一起玩樂,不就是朋友間會做的事嗎?保險從來賣的都不只是產品,更著重的反倒是個人品牌;而這些交流,也只是製造多些機會容讓對方認識、探索真正的你。要相信的是,保險百分之百是必需品,但你不一定是必需的那個人。用心去交往、懷著善意,那你就離那個人不遠矣。本身我就是個很喜歡與別人交流的人,對於能不能簽成一張單,很多時我是不強求的,甚至是挺「佛系」的。不管坐在席上的是生意老闆、

達官顯貴、演員藝人，還是一般普羅百姓，更多時還是互找發光點，待人以真、友善相處就足夠了，阿諛奉承的說話我不會說，也不是我的風格。正正因為這般真誠，大家也就打破心中的隔閡，知道我在行業中發展不俗，也相信我的專業，有需要時自自然然會來找我，身邊朋友如有需要，也都會轉介給我。當然，我也不會辜負這番信任，該做的事還是會做好，也會用心幫對方好好規劃。

2020 年，我升職為助理區域經理，並開始發展個人團隊。隨著同事們陸陸續續的加入，要處理的問題也越來越多。要面對的，再不是只顧好自己的生意，更重要的是照顧好同事們，

解決他們面對的困難。我也希望自己能成為我所遇見的貴人們，去指引他們走出屬於自己的道路。2020 年，受疫情的影響，逼使我無法像以前一樣到處出行，與客人朋友碰面，只能好好留在香港一邊管理團隊，更用心發展香港市場，另一邊跟國內客戶朋友更用心保持聯絡。所幸的是，在疫情無情摧殘下，成績依然不俗，可能這就是以前種下的果吧。整體而言，我想要的輕鬆還遠遠未及，也必須更努力才能更輕鬆，事情往往都是如此相對，能承受多少的苦，就能享受多少的甜。反正，要相信你不是平凡人，也不要過著雞肋般的人生。

Elvis Cheung 張浚豐

## 驅魔第十九式

- 你必須非常努力，才能看起來毫不費力
- 讓你的行動與遠大的夢想所匹配
- 待人以誠，無忘初衷
- 目標必須夠大，才能走得夠遠

Elvis Cheung 張浚豐

# 結語

19位有著不同故事、不同經歷的年輕人，他們在理財事業生涯故事的第一集已經順利完成。世界上沒有免費的午餐，我看到他們成功的共通點是無論面對失敗，遇上逆流都繼續勇敢嘗試，繼續接受挑戰。
期待他們更精彩的續集。

你的故事又會是怎樣呢？

還在猶豫？
對，這就是我們形容的心魔！

直接找一位有經驗的驅魔大師談談吧！

心魔嚟嘅啫——入行第一年就做到 MDRT 的秘密

作者：ALLSTAR

校對：青森文化編輯組

設計：Eye Design Company Limited

出版：紅出版（藍天圖書）

　　　地址：香港灣仔道 133 號卓凌中心 11 樓

　　　出版計劃查詢電話：(852) 2540 7517

　　　電郵：editor@red-publish.com

　　　網址：http://www.red-publish.com

香港總經銷：聯合新零售 ( 香港 ) 有限公司

出版日期：2021 年 7 月

　　　　　2021 年 8 月 ( 第二版 )

圖書分類：職場成功法

ISBN：978-988-8743-44-5

定價：港幣 118 元正